Y0-BXQ-363

청년아, 울더라도 뿌려야 한다

믿음이란
한 알의 밀알이 땅에 떨어져 죽음으로 많은 열매를 맺음과 같이
진리의 열매를 위하여 스스로 죽는 것을 뜻합니다.
눈으로 볼 수는 없으나 영원히 살아 있는 진리와
목숨을 맞바꾸는 자들을 우리는 믿는 이라고 부릅니다.
「믿음의 글들」은 평생, 혹은 가장 귀한 순간에
잔리를 위하여 죽거나 죽기를 결단하는
참 믿는 이들의, 참 믿는 이들을 위한, 참 믿음의 글입니다.

청년아
울더라도 뿌려야 한다

이재철 지음

차 례

1994년 아이들과 함께 부산에 갔을 때이다.

해운대 바닷가에서 아이들이 파도와 장난을 치며 소리를 지른다. 바로 그 곳은 내가 대학생일 때 여름마다 친구들과 어울려 함께 놀던 곳이다. 때론 소리를 지르고, 때론 노래를 부르면서 말이다. 그로부터 이십 수 년이 흘러 내 아이들이 똑같은 해변가에서 놀고 있다. 모래밭도 있고 바다도 있고 파도도 있고 아이들도 있는데, 그러나 없는 것이 있었다. 내가 보이지 않는 것이었다. 분명 그 곳에 있었던 20대의 나 자신이 말이다. 도대체 그 때의 나는 어디로 가 버렸단 말인가?

1998년 9월에 이 곳 제네바로 온 뒤, 틈이 나면 네덜란드의 암스테르담을 방문해 보리라 마음을 먹었었다. 1972년, 내가 난생 처음으로 유럽에 발을 디딘 곳이 바로 암스테르담의 스키폴 공항이었기 때문이다.

마침 작년 말 베를린을 다녀오는 길에 비행기가 암스테르담을 경유하게 되었고, 스키폴 공항에서 3시간을 대기하여야만 했다. 예전에 비해 공항은 엄청나게 확장되어 있었다. 나는 사람들에게 물어 1972년에 있었던 건물, 즉 내가 처음으로 발을 디뎠던 청사를 찾아가 복도에 있는 의자에 앉았다.

여전히 수많은 승객들이 분주히 오가고 있다. 나는 그들 틈에서 나를 찾는다. 27년 전 스물네 살의 나이에, 설레는 마음으로 그 복도를 걸었던 그 때의 나는 지금 어디 있는가? 그 때의 나는 영영 사라져 버리고 말았는가?

아니었다. 그 때의 나는 지금의 내 속에 고스란히 살아남아 있었다.

청년 시절은 반드시 사라져 없어진다. 동시에 청년 시절은 어김없이 자신의 삶 속에 농축되어 남는 법이다. 그래서 청년 시절의 중요성은 아무리 강조해도 지나침이 없을 것이다. 청년의 때란 자기 가능성의 그릇을 가장 크게 키울 수 있는, 두 번 다시 되풀이되지 않는 절대적 시기이기 때문이다.

이 책에 실린 글들은, 내가 전에 목회하던 교회에서 청년들과 함께 생각했던 내용을 가다듬은 것이다. 이 책을 통해 단 한 명의 청년이라도 인생관이 새로워진다면, 그것은 전적으로 주님께서 영광 받으실 일이다.

2000년 3월 10일 제네바에서

하나님의 플러스 알파$^{+\alpha}$

나의 평생에 선하심과 인자하심이 정녕 나를 따르리니 시 23:6

청년들을 부르는 호칭이 여러 가지 있다. 그들을 가리켜 '미래의 주역'이라고도 하고, '나라의 기둥'이라고도 하고, '사회의 초년생'이라고 말하기도 한다.

그러나 나는 청년들을 가리켜서 '현존하는 미래'라고 정의하고 싶다. 이는 '현재 존재하고 있는 미래'라는 뜻이다.

청년들은 중년이나 장년 혹은 노년, 그 어떤 세대에 비해서도 더 많은 미래를 가지고 있다. 그러나 청년 한 개인의 미래는 그 개인만의 미래로 끝나지 않는다. 그리고 청년의 오늘은 오늘 하루에 멈추어 버리지도 않는다.

바로 그의 오늘은 그의 내일과 직결될 뿐 아니라 많은 사람들의 내일과 연결되는 까닭에, 나는 청년들을 '현존하는 미래'라고 부르는 것이다.

만약에 '청년들은 현존하는 미래'라는 이 정의에 동의한다면, 여기서 현존하는 미래란 도대체 '누구의' 혹은 '무엇의' 현존하는 미래란 말인가?

무엇보다 먼저, 청년은 자기 자신의 현존하는 미래이다. 미래는 절대로 바깥 세계로부터 주어지는 것이 아니다. 미래란 바로 오늘의 삶의 결과로 성취되는 것이다. 그렇기에 청년들은 그 누구보다도 자기 자신에게 주어진 이 청년의 때에 대하여 책임과 최선을 다해야 한다.

우리말에 '싹수가 노랗다'는 말이 있다. 이 말은 저 사람의 오늘을 보니 내일도 노랗다는, 즉 가망이 없어 보인다는 뜻이다. 개인의 미래는 청년의 날들, 즉 오늘 자기 자신을 어떻게 가꾸느냐에 따라 결정되는 것이다.

나는 1967년에 고등학교를 졸업했고, 1971년에 대학교를 졸업했다. 고등학교를 졸업한 지는 근 30년, 대학교를 졸업한 지도 어언 20년이 지난 셈이다. 그런데 나와 함께 학창생활을 했던 그 가까웠던 친구들 중에 지금 어디에서 무엇을 하는지 전혀 찾을 수 없는 사람들이 있다.

그 이유는 한 가지이다. 다른 사람들 앞에서 자기 자신을 떳떳하게 내세울 수 없는 형편에 처해 있기 때문이다. 왜 그렇겠는가? 청년의 때를 잘못 가꾸었기에 그들의 미래 역시 잘못 귀결된 것이다. 20대와 30대를 지나 40대 혹은 50대의 나이에 이르렀을 때, 사랑하는 친구들 앞에 자신을 떳떳하게 내세울 수 없다면 그 인생보다 더 서글픈 인생이 어디에 있겠는가? 청년의 오늘은 자기 자신의 현존하는 미래이기에 자기 자신에 대해 책임과 최선을 다해야 한다.

두번째, 청년은 그 가족들의 현존하는 미래이다. 오늘 그가 어떤 삶을 사느냐에 따라 그 가족들의 미래가 판가름난다는 뜻이다.

대통령이라는 한 국가의 가장 명예로운 자리에 앉아 있던 사람이 수치스럽게도 비자금 사건으로 구속되던 날, 집을 떠나면서 가족들에게 이런 당부를 했다고 한다.

"연세 많으신 어머님께는 내가 구속되었다는 말씀을 드리지 말아라."

왜 그분은 자신의 구속을 노모에게 말씀드리지 못하게 했겠는가? 왜 그 사실을 숨기려 했겠는가? 자신의 노모에게 그보다 더 큰 수치가 없었기 때문이다. 어디 노모뿐이겠는가? 그 사건으로 인해 모든 가족들이 당한 수치와 모멸감이 어떠했을 것인지 상상해 보라. 그분이 무분별하게 돈을 긁어모을 때, 그 가족들의 미래는 말할 수 없는 수치로 얼룩져 가고 있었던 것이다.

나는 신문에서 부정부패 사건과 여러 가지 부도덕한 사건 때문에 사람들이 잡혀 가는 기사를 볼 때마다, 그리고 텔레비전을 통해서 그분들이 구속되는 모습을 볼 때마다 남다른 가슴앓이를 한다. '저 사람은 자기 죄 때문에 응당 보응을 받는 것이겠지만, 저 사람의 가족들은 앞으로 얼마나 더 큰 고통을 당해야 할까? 그 아내가, 그 남편이, 그 부모가, 그리고 그 자식이 당해야 할 수치가 얼마나 클까?' 하는 생각 때문이다.

청년이 오늘을 어떻게 사느냐에 따라 그 가족의 미래의 질이 결정된다. 이것을 아는 청년들이라면 청년 시절을 결코 의미 없이 소진해 버릴 수는 없을 것이다.

세번째, 청년들은 민족과 인류의 현존하는 미래이다. 히틀러라는 한 사람이 자신의 청년 시절을 잘못 가꾸고 있을 때 인류의 미래는 이미 황폐화되고 있었다. 2차세계대전으로 수많은 사람들이 죽어 간 것은 오직 그 한 사람 때문이있다. 반면에 아데나워라는 한 청년이 자신의 청년 시절을 책임 있게 가꿈으로써 황폐화된 독일의 미래가 부흥되는 발판이 마련되었다. 바울이란 한 유대 청년이 자신의 청년 시절을 진리 안에서 책임 있게 가꾸었을 때 단지 그 개인의 미래만 새로워진 것이 아니었다. 그를 통해 인류의 미래가 새롭게 가꾸어졌다.

태어나서 길면 80년이요 짧으면 고작 60년이나 70년을 살다 세상을 떠나는 것이 인생인데, 자신이 두 발 딛고 사는 곳을 오염시키거나 혹은 사회의 한 부분을 허물어뜨리거나 인류에게 해만 끼치다가 두 손 들고 이 세상을 떠난다면, 도대체 그보다 더 무가치한 인생이 어디에 있겠는가? 설령 관 속에 누워 통탄한다 한들 그 누구도 지나가 버린 청년 시절을 보상해 주지는 않는다.

청년들은 자기 한 사람으로 인해 인류의 미래가 결정될 수 있다는 사실을 잊지 말아야 한다. 그리고 황금같이 귀한 이 청년 시절을 책임과 최선을 다하여 가꾸어야만 한다.

그렇다면 자신에게 주어진 청년 시절을 책임과 최선을 다해 가꾼다는 것은 구체적으로 무엇을 의미하는가?

그것은 첫째, 지금 자기 자신에게 주어진 일에 최선을 다하는 것을 의미한다. 학생이라면 공부하는 것이 주어진 일일 것이요, 직장인이라면 직장에서 맡은 일이 주어진 일일 것이다. 그 일이 무엇이든 지금 주어진 일에 '최선을 다한다' 는 것은 '자기 자신을 극대화한다' 는 것을 의미한다. 그래서 최선을 다하는 것이 중요하다.

예를 들어 보자. 주먹에 전혀 힘이 없는 사람이 있었다. 그런데 태권도를 배우고 기왓장을 격파하는 연습을 시작했다. 최선을 다해서 훈련하던 어느 날, 그는 기왓장 한 장을 격파할 수 있었다. 그리고 몇 주 후에는 두 장을, 몇 달 후에는 다섯 장을, 몇 년 후에는 스무 장까지 격파할 수 있게 되었다. 그에게 '최선을 다한다' 는 것은 기왓장 한 장도 깨뜨릴 수 없었던 무력한 자기 자신을 극대화해 가는 것을 의미했다.

나는 그 동안 한평생 큰 일을 이룬 사람들을 많이 만났다. 그들에겐 한 가지 공통점이 있는데, 언제나 주어진 일에 최선을 다했다는 것이다. 생각해 보라. 지금 최선을 다하지 않는 자가 어찌 내일 최선을 꿈꿀 수 있겠는가? 매사에 최선을 다하지 않는 자의 하는 일이 어찌 알찬 열매로 결실될 수 있겠는가? 그래서 주님께서는 이렇게 말씀하셨다.

"지극히 작은 것에 충성된 자는 큰 것에도 충성되고 지극히 작은 것에 불의한 자는 큰 것에도 불의하니라"(눅 16:10).

여기에서 주님께서 말씀하신 충성이란 곧 최선을 의미함은 두 말 할 필요도 없다.

둘째, 청년 시절을 책임과 최선을 다해 가꾼다는 것은 분명한 목적과 목표를 갖는다는 의미이다. 10대라면 아직 분명한 목적이 없을 수도 있다. 그러나 적어도 20대라면 분명한 삶의 목적의식을 가지고 있어야 한다.

목적이란 인간이 궁극적으로 다다라야 할 종착점을, 목표란 그 종착점에 다다르기 위한 방편을 의미한다. 따라서 목적은 하나일 수밖에 없으나 목표는 여럿일 수 있다. 목적지 없이 걸어가는 방랑자가 어떻게 발걸음 하나하나에 최선을 다하겠는가? 목적지를 분명히 한 사람만이 그 발걸음에 모든 것을 다 걸 수 있다.

내게 지금 주어진 일에 최선을 다하는 것이 자기 자신을 극대화하는 것이라면, 분명한 목적의식을 갖는 것은 나의 시간들을 극대화하는 것을 의미한다. 목적지 없이 터벅터벅 걸어가는 자와, 분명한 목적지를 두고 뚜렷한 발걸음으로 최선을 다해 또박또박 걸어가는 자의 시간의 의미가 절대로 같을 수 없다. 목적과 목표가 분명해야 그 시간이 극대화될 수 있는 것이다.

이런 일화가 있다. 한 청년이 강둑에 앉아서 밤을 새우며 강을 쳐다보고 있었다. 그는 콧노래를 부르면서 손에 잡히는 대로 돌멩이를 집어 재미삼아 강물에 던졌다. 하나를 던지고, 둘을 던지고, 셋을 던지고, 그렇게 밤새도록 던졌다.

드디어 날이 밝았다. 그는 남아 있던 마지막 돌멩이를 던지려고 집어들었다. 그런데 이게 웬일인가? 손 안에 들어 있는 것은 돌멩이가 아니라 황금덩어리였다. 그는 밤새도록 그 귀중한 황금을, 아니 황금 같은 시간을 전부 강 속에 던져 버린 것이다.

목적 없는 자의 삶은 이와 같다. 오직 목적이 분명할 때, 의미 없어 보이는 시간조차도 황금 같은 가치로 다가오는 것이다.

셋째, 청년 시절을 책임과 최선을 다해 가꾼다는 것은 조화를 이루는 것을 의미한다. 이 세상 모든 것은 조화로 이루어져 있다. 이를테면 음과 양, 밤과 낮, 그리고 하늘과 땅의 조화이다. 만약

이 조화가 깨어지면 큰 혼란이 야기된다. 그러므로 조화의 중요성은 아무리 강조해도 지나침이 없을 것이다. 자기 자신에 대해 책임을 다한다는 것은 바로 이런 조화의 삶을 추구하는 것이다.

이 때의 조화는 두 가지 의미에서의 조화이다. 하나는 내적 조화로, 자기 자신과의 조화를 말한다. 인간은 육체만을 지닌 존재가 아니다.

창세기 2장을 보면, 하나님께서 천지를 창조하실 때 흙으로 사람만 지으신 것이 아니라 짐승도 지으셨다. 차이가 하나 있다면 흙으로 된 인간의 육체 속에는 하나님의 생기, 즉 하나님의 영을 불어넣어 주셨다는 것이다.

인간은 육체만 가진 존재도 아니요, 그렇다고 영만 가진 존재도 아니다. 인간은 하나님의 창조섭리에 따라 영과 육을 동시에 지닌 전인적 존재이다. 그러므로 영육간의 조화를 이루지 못한 채 영혼만을 목적으로 살아가는 사람은, 주어진 삶에 책임을 다하지 않는 무분별한 신비주의자나 열광주의자가 되고 말 것이다.

반면에 하나님께서 주신 영적 의미를 망각하고 육체만을 위해 사는 사람은 그의 겉모습이 어떠하든 실은 본능적인 쾌락주의자에 지나지 않을 것이다. 그런 자는 인간이 왜 육체를 지니고 살아야 하는지를 알지 못하는 짐승일 터이니 말이다.

하나님께서는 인간을 천상의 천사로 지으신 것도 아니고 땅 위의 짐승으로 지으신 것도 아니다. 영과 육을 동시에 지니고 있는 인간으로 지으신 것이다. 따라서 우리의 영과 육은 반드시 조화를 이룰 수 있어야 한다.

김남조 시인의 표현을 빌리자면, 진리의 등불 앞에서 '나들'

('나'의 복수)이 서로 만나야 한다. 다시 말해 나의 영과 육이, 나의 겉사람과 속사람이 진리 안에서 서로 대화하며 조화를 이룰 수 있어야 한다. 바른 영혼이 바른 육체를 가능케 하고, 건강한 육체가 건강한 영혼을 담는 그릇이 될 수 있다.

또 다른 조화는 외적 조화이다. 외적 조화란 두말 할 것도 없이 나 아닌 타인과의 조화를 의미한다. 우리는 이 세상을 결코 혼자서 살아갈 수 없다. 사람은 반드시 더불어 살아야 한다. 그러므로 다른 사람과의 조화에 실패하는 자는 그 인생 자체가 실패할 수밖에 없다.

대학교 2학년 초 세계문화사 시간이었다. 그 날은 첫 시간이었는데도 출석한 학생은 절반 정도밖에 되지 않았다. 교수님이 강단 탁자 위에 제출된 수강카드로 출석을 불렀다. 수강카드에 비해 출석생의 수는 턱없이 모자랐음에도 거의 모든 학생들의 대답이 다 나왔다. 모두 대리대답이었던 것이다.

교수님이 그 사실을 모를 리 없었다. 그런데 그 날 대답이 없는 학생이 한 명 있었다. 교수님은 출석을 다 부른 뒤 그 학생의 수강카드를 들고, 앞으로 그 학생의 수강을 사절하겠노라며 이렇게 말했다.

"만약 여러분이 지식만을 얻기 원한다면 집에서 백과사전을 파는 것이 훨씬 더 빠를 것이다. 여러분이 4년 간의 학창생활을 하는 데 있어 지식보다 더 중요한 것은 사람과의 사귐이다. 자신을 위해 대리대답을 해 줄 수 있는 친구 한 명도 사귀지 못한 사람이라면 나의 강의를 들을 자격이 없다."

그 날 그분의 말은 나로 하여금 참으로 귀중한 것을 깨닫게 해 주었다. 불필요한 오해는 말기로 하자. 그분은 불의한 대리대답의 정당성을 억지 주장한 것이 아니다. 그분은 청년 시절의 '사람과의 조화'의 중요성을 강조했던 것이다. 그렇지 아니한가? 사람과 조화를 이룰 줄 모르는 자의 삶 속에 어찌 참된 문화가 자리잡을 수 있겠는가? 문제의 그 학생이 그 다음주부터 누구보다도 그 교수님의 강의에 충실했음은 두말 할 필요도 없다.

오늘 내가 누구를 사귀느냐, 얼마나 많은 사람과 바르게 사귀느냐, 나와 다른 사람을 얼마나 사귀느냐에 따라서 나와 그의 미래가 동시에 달라진다.

많은 사람과 사귀어 조화를 이룰 수 있으려면 자신을 죽이는 법을 배워야 하고, 진심으로 사람을 사랑하는 법도 배워야 하며, 사람을 존중하는 법도 배워야 한다. 그와 같은 과정을 통해서 외적 조화가 이루어지고, 그처럼 조화를 이룰 수 있는 사람의 삶 속에 늘 새로운 미래가 담기는 법이다.

이상에서 말한 바와 같이 청년의 때를 책임과 최선을 다해서 가꾼다는 것은 첫째로 지금 주어진 일에 최선을 다하는 것이요, 둘째로 분명한 목적과 목표를 갖는 것이요, 셋째로 내적 외적 조화를 이루는 것이다. 이것의 중요성은 아무리 강조해도 지나침이 없을 것이다.

그러나 그보다 더 중요한 것이 한 가지 있다. 그것은 하나님의 플러스 알파를 깨닫고, 하나님의 플러스 알파 속에 거하는 삶을 사는 것이다.

사람이 목표를 위해 노력하고 애쓰는 것은 대단히 중요하다. 그러나 반드시 사람이 계획한 대로 결과가 나오는 것은 아니다. 이를 아는 것이 지혜다.

농부가 봄에 아무리 씨를 뿌려도, 아무리 땀을 흘려도, 와야 할 비가 오지 않거나 비가 너무 많이 오면 그 헤의 농사는 망치는 법이다. 학생이 아무리 열심히 시험공부를 했다고 하더라도 입학시험을 치는 전날 밤, 갑자기 감기가 들어 한숨도 자지 못하고 고열에 시달린다면 그 시험은 망칠 수밖에 없다. 그러므로 자신의 최선을 다하고 노력을 아끼지 않되, 그 결과를 책임져 주시는 분은 하나님이심을 잊지 말아야 한다. 하나님의 플러스 알파 속에서만 결실이 맺힌다는 것을 아는 삶으로 청년 시절을 일관하는 것이야말로 자신의 미래를 가장 아름답게 가꾸는 첩경이다.

하나님의 플러스 알파를 인정하며 그것을 겸허하게 구하는 자들은 지금 성공했다고 해서 교만에 빠지지도, 반대로 실패했다고 해서 절망에 빠지지도 않는다. 무엇보다 중요한 것은 그와 같은 자들에게 하나님의 플러스 알파가 더 크게 임하며, 그들을 통해 인류의 미래가 새로워진다는 것이다.

미디안 광야에 있던 늙은 모세에게 하나님의 플러스 알파가 임했다. 그 후로 그는 출애굽의 지도자가 되었고, 그로 인해 이스라엘의 미래가 새로워졌다. 아이를 갖지 못하여 하나님 아버지 앞에 울며 기도할 수밖에 없었던 한나에게 하나님의 플러스 알파가 임했다. 그리고 그녀가 낳은 사무엘을 통해 가나안 땅의 미래가 새로워졌다. 빈민촌이었던 나사렛에 살던 한 여인에게 하나님의 플러스 알파가 임했다. 그녀를 통해 예수 그리스도가 태어나셨고, 온 인류의 미래가 새로워졌다.

작곡가에게 가장 큰 영광은, 자신이 작곡한 곡을 좀더 많은 사람들이 좀더 오랫동안 연주하고 즐기며 부르는 것이다. 그런 의미에서 한 나라의 국가를 작곡한다는 것은 예사 영광이 아니다.

우리 나라 애국가를 작곡한 안익태 씨는 이렇게 고백했다.

"애국가는 내가 작곡한 것이 아닙니다. 그것은 하나님의 선물입니다. 나는 그분의 도구였을 뿐입니다."

그는 하나님의 플러스 알파를 알고 있었던 것이다.

아카데미 영화제에서 여우주연상을 제외한 모든 상을 석권했던 유일한 영화는 '벤허'이다. 오늘날 스필버그 감독이 아무리 뛰어나다고 해도, 헐리우드에서 아무리 엄청난 돈을 쏟아 부어 대작을 만들어도, 다시는 '벤허' 같은 영화는 만들 수 없으리라는 것이 여러 사람들의 공통된 의견이다. 이 영화를 감독한 윌리엄 와일러는 시사회에서 이렇게 말했다.

"하나님, 이 영화를 정말 제가 만들었습니까?"

그는 자신이 만든 영화 속에서 하나님의 플러스 알파를 보았던 것이다. 하나님의 플러스 알파를 믿는 자에게, 그리고 겸허하게 그 플러스 알파를 구하는 자에게는 이처럼 인간이 상상할 수 없는 위대한 일들이 일어났다. 그분은 창조주 하나님이시기 때문이다.

다윗은 시편 23편 6절에서 이렇게 고백하고 있다.

"내가 여호와의 집에 영원히 거하리로다."

왜 하필이면 여호와의 집에 영원히 거하겠다고 하는가? 그 답은 6절 상반절에 나와 있다.

"나의 평생에 선하심과 인자하심이 정녕 나를 따르리니."

이것을 오늘 살펴본 맥락으로 표현하면, '나의 평생에 하나님의 플러스 알파가 영원토록 함께하실 것을 믿으므로' 여호와의 집에 영원히 거하겠다는 의미가 된다.

다윗은 베들레헴의 목동이었다. 혈통으로나 상황으로 볼 때 결단코 그는 이스라엘의 두번째 왕이 될 수 없는 사람이었다. 그럼에도 불구하고 그가 왕이 된 것은 하나님의 플러스 알파였다. 그가 어린 나이에 거인 골리앗을 이긴다는 것은 그 자신의 능력으로 볼 때 불가능한 일이었다. 그럼에도 불구하고 그를 쓰러뜨린 것 역시 하나님의 플러스 알파였다. 다윗이 왕이 된 후 압살롬의 쿠데타로 왕궁과 권력을 일거에 잃게 되었다. 쿠데타로 인해 한 번 권좌에서 물러났다가 다시 권좌를 찾는다는 것은 불가능한 일이다. 그럼에도 불구하고 그가 다시 왕좌를 되찾은 것 또한 하나님의 플러스 알파였다.

다윗은 그것을 믿었기에, 그분의 플러스 알파로 인해 자신이 그처럼 존귀한 삶을 살게 되었다는 사실을 알았기에, 평생토록 하나님의 집에 거하겠노라 고백한 것이다. 중요한 것은 이처럼 다윗이 자신의 젊은 날들을 하나님을 향한 믿음 속에서, 하나님의 플러스 알파 속에서 스스로 책임 있게 최선을 다해서 가꾸었을 때, 그 한 사람으로 인하여 이스라엘의 미래가 새로워졌고, 그 한 사람의 신앙고백인 시편 23편을 통해 수없이 많은 사람들의 미래가 계속 새로워지고 있다는 사실이다.

사랑하는 청년들이여!

오늘 그대 청년의 때에, 곤고한 날이 아직 이르기 전에, 하나님의 플러스 알파를 겸허하게 구하며 하나님의 플러스 알파의 은총 속에 거하는 자들이 되라. 오직 주님 안에서 최선을 다하며, 주님을 목적으로 삼으며, 주님 안에서 조화를 이루어 가는 사람들이 되라. 그렇게 할 때, 그 한 사람의 청년으로 인해 이 민족과 인류의 미래가 기필코 새로워질 것이다. 왠지 아는가? 하나님은 살아계시고, 그대 청년들은 현존하는 미래이기 때문이다.

믿음이 시작하는 곳

아무든지 나를 따라 오려거든 자기를 부인하고
자기 십자가를 지고 나를 좇을 것이니라 마 16:24

인도의 지성 타고르가 쓴 〈기탄잘리〉라는 작품이 있다. '기탄잘리'는 '신께 바치는 노래'라는 뜻인데, 그 중에 이런 내용의 시가 있다.

나는 마을 길로 이집 저집을 구걸하며 다녔습니다. 그 때 갑자기 님의 황금마차가 멀리서 마치 꿈처럼 나타났습니다.

나의 희망이 부풀어 오르기 시작했습니다. 이제 나의 불운은 끝났다고 생각했습니다. 님이 내게 베풀어 주실 식물과 재화를 기대하며 나는 님이 타고 있는 황금마차를 기다렸습니다.

드디어 황금마차가 내 앞에 멈추어 섰습니다. 님과 시선이 마주치자 님은 미소를 지으시면서 내려오셨습니다. 나는 내 생애 최고의 행운이 다가오고 있음을 느꼈습니다. 그 때 느닷없이 님은 오른

손을 내미시며 말씀하셨습니다. '그대는 내게 무엇을 주려고 왔는 가?'

아! 거지에게 구걸을 하시려고 님이 손을 내미시다니, 그건 얼마 나 님다운 농담입니까! 여하튼 나는 얼떨떨해하며 잠시 멍하니 서 있다가 그제야 내 전대에서 작디작은 낟알 하나를 꺼내어 님에게 드렸습니다. 그것을 받아든 님은 내겐 아무것도 주시지 않고 그냥 떠나 버리고 말았습니다.

그러나 그 날도 저물어 갈 즈음 바닥 위로 내 자루를 털었을 때에 그 초라한 누더기 속에서 작디작은 황금 한 낟알을 발견하게 될 줄 이야! 그 때 나의 놀라움과 뉘우침이 얼마나 컸겠습니까? 나는 땅을 치면서 울었습니다. 님에게 나의 전부를 바칠 마음을 가졌더라면 얼마나 좋았을까, 후회하면서 말입니다(후략).

자기에게 집착하는 마음, 타인을 위한 마음보다는 누구를 만나 든지 그 사람을 자기 욕망의 도구로 삼고자 하는 마음을 털어 버 리지 못했을 때, 그토록 기다리고 기다리던 님을 만났지만 이 걸 인이 얻을 수 있었던 것은 고작 황금 낟알 한 개였다. 그래서 이 걸인은 님을 만난 후에도 평생 걸인처럼 살아갈 수밖에 없었다.

진리를 앞에 놓고서도 진리의 지배를 받으려 하기보다는 끊임 없이 자기 욕망을 위해서 진리를 자신의 도구로 삼으려 하는 사람 들, 자기 자신에게 집착하려는 스스로의 마음을 떨쳐 버리지 못하 는 사람들은, 한평생 진리의 부스러기만 얻을 뿐 계속 진리의 걸 인으로, 영혼의 거지로 살아갈 수밖에 없다.

그러기에 믿음은, 이처럼 자기 욕망과 이기심에 집착하고자 하는 마음을 갈아엎는 것으로부터 시작된다. 믿음이 시작되는 곳은 언제나 우리의 마음이다. 한때 젊은 시절, 자신에 대한 집착의 마음을 떨쳐 버리지 못해 욕망의 노예가 된 채 귀하디귀한 젊음을 허망하게 탕진해 버렸던 솔로몬은 그래서 이렇게 고백하고 있다.

"무릇 지킬 만한 것보다 더욱 네 마음을 지키라. 생명의 근원이 이에서 남이니라"(잠 4:23).

솔로몬은 뒤늦게나마 믿음이 마음에서부터 시작된다는 것을 알고 자기에게 집착하고자 하는 마음을 갈아엎었다. 그리고 그 순간부터 영혼의 걸인 같던 솔로몬의 의미 없는 삶은 중단되었다.

마태복음 21장 6절에서 17절을 보면, 예수 그리스도께서 제자들과 함께 예루살렘으로 입성하시는 장면이 나온다. 예루살렘 성으로 입성하시는 예수 그리스도를 예루살렘 주민들이 얼마나 반겼던지 온 성이 소동했다고 기록하고 있다. 여기서 '소동했다'고 하는 단어 '세이오'는 지축이 흔들렸다는 뜻이다. 온 예루살렘 주민들이 예수 그리스도를 향해 얼마나 열광했던지, 그들의 환호성으로 인해 예루살렘의 지축이 흔들렸다는 말이다.

여기에서 유심히 관찰해 볼 필요가 있다. 지금 예수 그리스도께서는 자신이 왕이심을 나타내기 위하여 나귀를 타고 입성하고 계시다. 그런데 그분이 타고 있는 나귀는 큰 나귀가 아니라 어린 나귀 새끼에 불과하다. 예수께서는 금실로 짜인 곤룡포를 입고 계시지 않다. 갈릴리 가난한 빈민의 옷을 그대로 입고 계시다. 예수님은 왕의 문양이 새겨진 안장을 깔고 앉아 계시지 않다. 가난하기 짝이 없는 무리들이 깔아 놓은 겉옷을 안장 삼아 깔고 앉아 계시다. 예수님이 탄 나귀가 걸어가는 길 위엔 왕의 신분을 나타내는 붉은 양탄자가 깔려 있지 않다. 그 곳 역시 예루살렘의 비천한 무리들이 깔아 둔 남루한 옷들이 널려 있을 뿐이다. 사람들은 예수님을 향하여 황금 색종이를 뿌리지 않았다. 단지 나뭇가지를 흔들고 있을 뿐이다.

자세히 살펴보면 볼수록 그 모습은 마치 코미디의 한 장면 같다. 그런데 놀랍게도 예루살렘 주민 중에 누구 한 사람도 그 코미디 같은 장면을 보고서 야유를 하는 사람은 없다. 만약에 지금 이와 같은 행렬이 우리 앞을 지나가면서 그 중의 한 사람이 "내가 인류를 구원할 메시아다"라고 말한다면 어떻게 하겠는가? 두말 할 것도 없이 정신병자들의 행렬로 볼 것이다. 그러나 예루살렘 주민들은 놀랍게도 그 같은 행색의 예수님을 향해 '호산나'— '지금 우리를 구원해 달라'고 지축이 흔들릴 정도로 열광하고 있다.

그렇다면 그들은 정말 예수 그리스도가 누구신지 알았기 때문에, 혹은 믿음이 좋았기 때문에 이처럼 코미디 같은 예수님의 행렬을 보고도 열광한 것인가? 불행히도 그렇지 않다! 그것은 이처럼 열광했던 예루살렘 주민들이 불과 닷새 후에 똑같이 소리를 지르며 예수님을 십자가에 못박아 죽인 사실을 보면 알 수 있다.

그렇다면 이들은 그처럼 옹색한 예수 그리스도의 행렬을 향해 왜 열광하고 환호성을 질렀던가? 그것은 예루살렘 주민들 모두, 마치 〈기탄잘리〉의 시 속에 나오는 걸인처럼, 자신들의 욕망에 집착하고 있었기에 그들의 욕망에 찬 마음이 예수 그리스도의 허상을 빚었기 때문이다. 그들이 열광했던 대상은 예수 그리스도의 실상이 아니라, 그들의 탐욕적인 마음이 만들었던 예수 그리스도의 허상이었다. 시 속의 걸인이 님을 만나기 전 님에 대해 허상을 가지고 있었던 것처럼 말이다.

이 걸인은 님에 대해 허상을 지녔던 자신의 잘못을 뉘우칠 줄 아는 사람이었다. 그러나 예루살렘 주민들은 예수 그리스도가 자신들이 생각했던 것과는 다른 사람이라는 것을 알았을 때에 뉘우치기는커녕, 오히려 실상인 예수 그리스도를 죽여 버리고 말았다. 자신들의 마음이 만든 허상이 진짜라고 착각했기 때문이다. 바로 이것이 십자가의 사건이다.

예수 그리스도께서는 이렇게 말씀하셨다.

"아무든지 나를 따라오려거든 자기를 부인하고 자기 십자가를 지고 나를 좇을 것이니라"(마 16:24).

이 말씀을 뒤집으면, 아무리 예수 그리스도를 따라간다 할지라도 자기 집착의 마음을 먼저 부인하지 아니하고서는 절대로 바른 크리스천이 될 수 없다는 의미이다. 왜 그런가? 자기에게 집착하는 자신의 마음을 부인하기 전까지는 예수 그리스도의 실상을 만날 도리가 없기에, 끊임없이 예수 그리스도의 허상을 빚어 내는 우를 범할 수밖에 없는 까닭이다.

사탄이 무엇인지 아는가? 머리에 뿔을 달고 있는 도깨비인가? 예수 그리스도의 허상을 만드는 자가 있다면 바로 그 사람이 사탄이다. 왜 그런가? 예수 그리스도의 허상을 만드는 사람은 곧 예수 그리스도의 실상을 죽여 버리기 때문이다.

가이사랴 빌립보에서 예수님은 제자들에게 이렇게 물으셨다.

"너희는 나를 누구라 하느냐?"

그 물음에 베드로가 나섰다.

"주는 그리스도시요 살아 계신 하나님의 아들이십니다."

그 신앙고백이 얼마나 위대했던지, 예수님은 베드로의 그 신앙고백 위에 주님의 교회를 세우실 것을 약속하셨다. 그리고 이제 주님이 누군지 제자들이 알았기에 주님께서는 그 후에 있을 일, 즉 예루살렘에서 못박혀 돌아가실 수난을 예고하셨다.

마태복음 16장 22절은, 그 때 베드로가 예수님을 붙들고 이렇게 간(諫)했다고 증거하고 있다.

"주여, 그리 마옵소서. 이 일이 결코 주에게 미치지 아니하리이다."

여기에서 '간했다'는 동사 '에피티마오'는 꾸짖었다는 말이다. 이제 방금, 당신은 하나님의 아들이요 구원자시라 고백했던 제자가 어찌 감히 스승을 붙잡고 꾸짖을 수가 있는가? 어떻게 제자가 스승에게 호통을 칠 수 있단 말인가? 그것은 베드로가, 하나님의 아들이신 메시아는 인간에 의해 결코 못박혀 죽을 수 없다고 속단했기 때문이다. 말하자면 그 순간 베드로의 마음은 자신의 판단에 대한 집착으로 예수 그리스도의 허상을 만들고 있었던 것이다.

그 때 주님께서는 베드로를 향해서 이렇게 말씀하셨다.

"사단아, 내 뒤로 물러가라. 너는 나를 넘어지게 하는 자로다."

왜 주님께서 베드로를 사탄이라고 매도하셨을까? 그것은 그가 예수 그리스도의 허상을 만들어 예수 그리스도의 실상을 짓밟고 있었기 때문이다. 그러므로 예수께서 베드로를 향해 "너는 나를 넘어지게 하는 자로다"라고 하신 말씀의 뜻은 '너는 나의 실상을 파괴하는 자'란 의미이다.

예루살렘으로 입성하신 예수님께서 제일 먼저 무엇을 하셨는지 마태복음 21장 12절이 이렇게 밝혀 주고 있다.

"예수께서 성전에 들어가사 성전 안에서 매매하는 모든 자를 내어쫓으시며 돈 바꾸는 자들의 상과 비둘기 파는 자들의 의자를 둘러엎으시고."

예수님이 제일 먼저 하신 일은 예루살렘 성전으로 들어가신 일이었고, 성전에 들어가셔서 제일 먼저 하신 일은 그 성전에 있던 모든 장사꾼들을 내어쫓으시고 그들의 의자와 장사판을 둘러엎으신 것이었다.

성경은 우리의 마음을 가리켜 성전이라 부르고 있다. 그것은 예수 그리스도를 바르게 믿고자 하는 자들, 진리를 따르는 자들이 제일 먼저 해야 할 일이란 성전 된 자신의 마음을 먼저 둘러엎는 일임을 일깨워 주고 있다. 둘러엎는다는 것은 완전히 뒤집는다는 말이다. 예루살렘 성전이 자신의 욕망에 집착하는 장사꾼들로 가득 차 있을 때, 예루살렘 성전에는 더 이상 하나님의 능력이 임할 수가 없었다. 그러나 주께서 그들을 모두 내어쫓으시고 장사판을 둘러엎었을 때 비로소 그 성전에 하나님의 능력이 임하여 소경이 눈을 뜨게 되었고, 저는 자들이 걷게 되었고, 어린아이들의 온전한 찬미가 울려 퍼졌다고 성경은 전해 주고 있다. 자기 집착에 빠진 자신의 마음, 자기 욕망과 자기 이기심으로 온통 뒤덮여 있는 자신의 마음이 둘러엎어질 때에만 우리는 진리의 통로가 될 수 있고, 빛이 될 수 있고, 소금이 될 수가 있다.

마태복음 13장에 보면 씨 뿌리는 비유가 나온다. 길가에 떨어진 씨, 돌밭에 떨어진 씨, 그리고 가시떨기 위에 떨어진 씨는 열매를 맺는 것 같았으나 이내 다 죽어 버리고 말지만, 옥토에 떨어진 씨는 100배, 60배, 30배의 열매를 맺는다는 이야기다. 여기서 돌밭과 옥토의 차이는 무엇인가? 옥토는 갈아엎어진 곳, 완전히 뒤집어진 곳을 의미한다. 뒤집어진 곳에서만 진리는 열매를 맺는다.

그대 청년들은 지금 무엇 때문에 교회에 나오고 있는가? 무엇때문에 예수 그리스도를 믿는가? 진리를, 예수 그리스도를 자기욕망 성취의 도구로 삼기 위해서는 아닌가? 만약에 그렇다면 그대들이 일평생 수없이 많은 소유를 얻는다 할지라도, 그대들은 〈기탄잘리〉에 나오는 걸인처럼 한평생 영혼의 걸인, 마음의 거지로 살아갈 수밖에 없다.

예수님께서 말씀하셨다.

"심령이 가난한 자는 복이 있나니 천국이 저희 것임이요"(마 5:3).

마음이 가난하다는 것과 마음이 걸인이라는 것은 절대로 같은의미가 아니다. 내 마음을 철저하게 부인했을 때, 내 마음을 둘러엎었을 때에야 비로소 그의 마음은 비어 있는 가난한 마음이 된다. 바로 그렇게 비어 있는 마음에만 하나님 나라의 진리는 채워질 수 있다. 그러나 자신의 마음을 갈아엎지 못한다면 우리는 한평생 진리의 열매를 얻지 못하는 영혼의 거지, 마음의 걸인으로살아갈 수밖에 없다.

오늘 이 시대는 더 이상 자기 집착에 빠진 불의한 삯꾼을, 소위세속적인 영웅을 필요로 하지 않는다. 오늘 이 시대는 오직 진리안에서 자기를 부인할 줄 아는 자, 자신의 마음을 비우는 자, 그래서 철저하게 진리의 지배를 받기 원하는 진리의 한 사람을 필요로 하고 있다.

가을이 되면 낙엽이 진다. 낙엽이 져야 그 이듬해에 새 잎이 돋아난다. 사람들은 모두 잎이 떨어진다고 말을 한다. 그것은 떨어지는 잎을 중심으로 생각한 것일 뿐 나무의 입장에서 생각하면 다른 표현이 가능해진다. 잎이 떨어지는 것이 아니라 나무가 잎을 버리는 것이다. 나의 것임에도 불구하고, 내게 속한 것임에도 불구하고, 나무는 때가 되면 미련 없이 버릴 것을 버릴 줄 안다. 그렇게 해서 그 다음 해에 더 충만한 생명으로 채워진다.

일류 도공과 삼류 도공의 차이가 무엇인지 아는가? 삼류 도공은 자기가 만든 작품이 아까워서 만드는 대로 다 시장에 내다 파는 사람이다. 그래서 그가 만드는 것은 모두 싸구려일 수밖에 없다. 반면에 일류 도공은 아무리 아까워도 완벽한 작품이 나올 때까지 수십 번, 수백 번이라도 깨어 버린다. 그렇게 해서 설령 그가 1년에 단 하나의 작품밖에 만들지 못한다고 할지라도, 그것은 위대한 예술작품으로 이 땅에 오래도록 남게 되는 것이다.

일류 소설가와 삼류 소설가의 차이가 무엇인지 아는가? 삼류 소설가는 자기가 취재한 것, 자기가 알고 있는 것은 아까워서 하나도 버리지 못한다. 어떻게 해서든지 자신의 소설 속에 그 모든 것을 다 표현하려고 한다. 그래서 초점이 흐려지고 산만해진다. 무슨 말을 하려는 것인지 알 수가 없다. 반면에 일류 소설가, 일류 시인은 아는 것이 수없이 많음에도 불구하고 버릴 줄 알고 포기할 줄 아는 사람이다. 그들은 절제된 언어로 필요한 것만을 표현하기에 원고지 위에 써 내려가는 모든 글들이 위대한 작품으로 남게 되는 것이다.

아무리 아름다운 대리석이 있다 할지라도 대리석 그 자체로 내버려 두면 그것은 단순한 돌덩이에 지나지 않는다. 그러나 예술가가 다듬으면 그것은 위대한 예술작품이 된다. 대리석을 다듬느냐 다듬지 않느냐에 따라 단순한 돌덩이로 존재하느냐, 아니면 시간과 공간을 초월한 작품으로 남느냐가 결정되는 것이다. 다듬는다는 것은 버릴 것을 버리는 것, 즉 자기 부인을 의미함은 재론의 여지도 없다.

모세는 미디안 광야에서 40년 동안이나 자신을 다듬고 부인하는 법을 배웠다. 다윗은 근 10년 동안이나 사울 왕의 칼을 피해 다니면서 자기를 다듬고 부인하는 법을 배웠다.

사랑하는 젊은 벗들이여!

지금부터 그대들도 자신에게 집착하고자 하는 마음을 다듬는 법을 배워야 한다. 그대들이 지금부터 자신의 마음을 다듬는 법을 훈련하지 않는다면, 50대 혹은 60대가 되었을 때 어찌 타인을 위한 넉넉한 거목이 될 수 있겠는가? 지금은 자신의 욕망대로 살면서 어떻게 10년, 20년 후엔 진리의 통로가 될 수 있다고 장담할 수 있겠는가?

자기를 부인할 줄 아는 참된 믿음은 자신의 마음 속에서 시작된다는 것을 알아 자신의 마음을 진리 앞에서 비울 줄 아는 자에게만 그 인생이 온통 황금 같은 가치로 승화될 수 있으며, 바로 그 인생을 통해서만 하나님의 위대한 새 역사가 펼쳐질 것이다.

그 까닭을 아는가? 그대들이 비우고 다듬은 바로 그 빈 마음 속에 주님께서 역사하시기 때문이다.

울더라도 뿌려야

눈물을 흘리며 씨를 뿌리는 자는 기쁨으로 거두리로다 시 126:5

1972년 1월 21일, 그 날은 내가 태어나서 처음으로 해외 여행을 한 날이다. 당시 대한민국 외무부는 공직자들, 국영기업이나 대기업의 임직원들, 일정 금액 이상의 수출 실적을 가진 회사 임직원들, 해외 취업 근로자나 이민자들, 그리고 해외 입양 고아 등을 제외한 순수 민간인들에게는 한 달에 300여 개의 여권밖에 발급하지 않았다. 그러니까 당시는 그만큼 해외 여행 하기가 어려운 시절이었다.

비행기가 처음 기착한 곳은 당시 일본 국제 공항이던 하네다 공항이었다. 출발 당시 서울엔 눈이 왔었는데 하네다 공항에는 비가 내리고 있었다. 그 때까지 나는 일본을 과소평가하는 교육을 받고 자랐다. 그 때까지 내가 학교에서 받은 일본에 대한 교육 내용은 대단히 간단했다.

'일본이란 나라는 완전 미국화 혹은 서구화되었기 때문에 고유성을 이미 상실해 버렸다. 일본인들은 세상을 모방하는 사람들이기 때문에 일본에서는 일본만의 독창성을 찾아볼 수가 없다. 일본은 태평양전쟁 당시에 완전히 망했다가 한국의 6·25전쟁 덕분에 갑작스럽게 다시 돈을 벌게 된 졸부들의 나라다. 한마디로 일본에 가서는 배울 것이 없다.'

이상의 내용이 당시 학교에서 교육받은 보편적인 '일본론'이었다. 그런데 하네다 공항에서 택시를 타고 비가 오는 도로를 질주하면서 바라본 일본은 내가 교육받아 온 그것과는 전혀 달랐다. 그 곳은 미국도 아니었고, 유럽도 아니었다. 일본은 분명히 일본이라는 사실을 온 거리에서 느낄 수 있었다. 사람들은 정직했고 친절했으며, 자정이 넘어 도로에는 사람이 없었지만 모든 자동차들은 빨간 신호등 앞에서 멈추어 섰다. 그것은 내게 말할 수 없이 크나큰 충격이었다. 그 때까지 한반도에서만 살았던 나는 그런 광경을 난생 처음 보았던 것이다.

일본을 떠나 네덜란드의 수도인 암스테르담에 도착했다. 약 20여 개 국에서 온 연수생들과 함께 연수를 받았다. 그들은 심심할 때면 늘 짐바브웨에서 온 청년과 한국에서 온 나에게 조롱 섞인 질문을 하곤 했다. 너희 나라에도 전기가 들어오느냐, 자동차는 있느냐, 텔레비전은 …… 등등. 그러한 질문을 받을 때면 참으로 수치스러웠다.

마침 지리 시간이었다. 연수생들이 색다른 제안을 했다.

"지리 시간인 만큼 한국에서 온 미스터 리와 짐바브웨에서 온 청년에게 우리가 알지 못하는 저 미지의 나라에 대해서 묻는 것으로 지리 시간을 대신합시다."

그 제안에 짐바브웨 청년이 먼저 당했다. 시종일관 조롱 섞인 질문으로 인해 그는 곤욕을 치렀다.

드디어 내 차례가 되었다. 나는 그들이 질문을 시작하기 전에 먼저 말을 꺼냈다.

"대한민국 수도 서울은 도시의 길이가 약 30킬로미터이고, 인구는 500만 명에 달합니다. 우리가 지금 앉아 있는 이 곳 암스테르담과 비교하면 면적으로는 약 10배, 인구로는 5배가 더 큰 도시입니다. 대한민국의 역사는 5000년에 이르며, 우리 고유의 언어와 글 그리고 문화를 가지고 있습니다. 여러분이 잘 알고 있는 유도나 가라데가 실은 우리 나라에서 일본으로 건너갔습니다."

이렇게 선수를 친 뒤, "이제 질문이 있으면 얼마든지 하십시오"라고 말했다. 그러자 어느 누구도 텔레비전이 있느냐, 전기가 있느냐 하는 식의 조롱 섞인 질문은 더 이상 하지 않았다.

그 시간이 끝났을 때 브라질에서 온 청년이 나를 불렀다. 그리고 자기 주머니에서 수첩을 꺼내더니 제일 뒷면에 있는 세계지도를 펴고는 내게 물었다.

"미스터 리, 당신이 살고 있는 코리아가 도대체 어디에 있는지 손가락으로 짚어 보십시오."

나는 그의 수첩을 받아 들고 대한민국을 짚어 보여 주기 위해 한반도를 찾았다. 그러나 그 곳에는 'KOREA'라고 쓰여 있지 않았다. 한반도와 일본 열도 사이에 'JAPAN'이라고 명기되어 있을 따름이었다. 손가락으로 한반도를 가리키면서 여기가 대한민국이라고 말하자 그 브라질 청년은 이렇게 말했다.

"나는 이제껏 여기가 일본의 일부인 줄 알았습니다."

그의 말을 듣는 순간, 힘 없고 이름 없는 나라 출신으로 이국 땅에서 느껴야 했을 나의 비애가 얼마나 컸겠는가?

그 후 프랑스 빠리로 갔다. 그 곳은 모든 건물이 다 역사였고, 온 거리 전체가 숨쉬는 역사 그 자체였다. 그 곳에서 나는 대학 시절에 함께 불어를 공부했던 동창들을 만났다. 그 친구들이 나를 데리고 빠리를 관광시켜 주면서 이런 말을 했다.

"저 개선문을 좀 보라구. 200년 전에 지은 문이 저렇게 큰데, 우리 나라 독립문은 그게 뭐냐? 노틀담 사원을 좀 봐. 800년 전에 지어진 거야. 얼마나 웅장해? 그런데 우리에게는 왜 저런 것 하나 없냐?"

그들은 또 쎄느 강변에서 랭보의 시를 읊으며 이런 말을 하기도 했다.

"봐, 이것이 쎄느 강이고 저것이 알렉상드르 다리야. 시가 절로 나오지 않아? 우리 나라 한강변을 백 번 거닐어 봐라, 이런 시상(詩想)이 떠오르는지."

그들의 말을 가만히 듣고 있던 나는 더 이상 듣고만 있을 수가 없었다.

"왜 너희들은 200년 전에 지어진 개선문을 불과 한 세기 전에 지어진 독립문과 비교하느냐? 우리에게는 500년 전에 지어진 남대문과 동대문이 있지 않느냐? 너희들이 웅장하다고 생각하는 노틀담 사원은 800년 전에 지어졌지만, 우리에게는 1200년 전에 지어진 웅장한 불국사가 있지 않느냐? 쎄느 강변에서 시상을 떠올리는 너희들 중에 단 한 사람이라도, 한국에 있을 때 강변을 거닐며 해가 지는 황혼녘의 한강을 바라보면서 시를 지으려고 한 적이 있었느냐?"

내 말에 그들은 아무런 대꾸도 하지 않았다. 그러나 내가 비교해도 쎄느 강변의 아름다움과 한강변의 황량함은 너무나도 대조적이었다. 빠리에서도 내 마음의 쓴맛은 가시지가 않았다.

대서양을 건너 뉴욕으로 갔다. 태평양이 아닌 대서양을 건너는 동양인에 대해서는 뉴욕 세관이 매우 엄격하게 조사한다는 사실은 이미 들어 알고 있었다. 그런데 세관대를 통과할 때, 가방을 열어 보라던 세관원이 여권을 보더니 그냥 가라는 것이었다. 나는 감사한 마음으로 세관대를 빠져나왔다.

순간 한 흑인이 앞을 가로막더니, 뭔가 번쩍이는 것을 눈앞에 내밀면서 빠르게 무슨 말인가를 내뱉었다. 나는 그 흑인의 빠른 영어를 알아들을 수가 없었다. 다만 혼자 생각하기를, '어떻게 미국엔 세관 안에까지 기념품 장수가 있나' 싶었다. 그래서 사지 않겠다는 뜻으로 "노, 노!"라고 말했다. 그러자 흑인이 재차 그 번쩍거리는 걸 보여 주면서 또 다시 뭐라고 빠르게 말을 하는데, 그래도 알아들을 수가 없었다. 그래서 나는 좀더 강하게 사지 않겠다는 의사 표시로 단호하게 "노!"라고 말했다. 그러자 갑자기 흑인이 화를 내며 한 손으론 내 목을 가로막고 나머지 손으론 여전히 번쩍이는 것을 보여 주면서 천천히 말하는데, 그제서야 그 말이 귀에 들렸다. 그는 FBI 요원이었고, 그가 보여 준 것은 FBI 신분증이었던 것이다.

그는 내게 여권을 요구했다. 여권을 보여 주었더니 한국 국적을 확인하기가 무섭게 다짜고짜 세관 바닥에 내 가방을 다 풀어 놓으라고 하는 게 아닌가. 방금 전 세관원이 나의 가방만은 열어 보지 않았으므로, FBI인 자신이 직접 내 가방 속에 무엇이 들어 있는지 확인해 봐야겠다는 것이었다. 그는 세관 바닥에 나의 모든 짐을 펼쳐 놓고 속속들이 다 뒤졌다. 그 짐을 다시 쌀 때까지 소요된 시간이 무려 40여 분이었다. 그 동안 마치 밀수꾼을 보듯 나를 위아래로 훑어보면서 지나가는 백인들의 시선 앞에서 내가 느껴야 했던 모멸감은 또 얼마나 컸겠는가?

그리고 세월이 지났다. 지금은 1년에 수백만 명이 해외 여행을 한다. 단순히 숫자상으로만 따지면, 1972년 1년 내내 민간인에게 발행하던 여권보다 더 많은 수의 여권이 지금은 매일 발급되고 있는 셈이다. 참으로 엄청나게 늘어났다.

이제는 해외를 나가도 너희 나라에 텔레비전이 있느냐, 자동차가 있느냐, 이런 조롱 섞인 질문은 하지 않는다. 오히려 한국인의 돈을 벌기 위해서 웬만한 곳에는 다 한글 안내판이 붙어 있고, 어디를 가든지 한국 사람을 만날 수 있다.

1995년 5월, 코스타리카에서 목회자를 보내 달라는 요청이 주님의교회로 온 적이 있다. 그와 관련하여 현지 방문차 비행기를 갈아타기 위해 로스앤젤레스에 도착했을 때의 일이다. 이민국을 통과하기 위해 줄을 섰는데, 마침 내 앞사람은 필리핀인이었다. 그가 자기 차례가 되어 이민국 관리에게 필리핀 여권을 제시했다. 미국인 관리는 그의 여권에 있는 미국 비자를 확인기로 확인하고서도 확대기로 재확인하였다. 그리고 그것도 모자라서 여권을 한 장 한 장 당겨 보았다. 행여 남의 여권을 잘라 붙이지나 않았는지 확인하는 듯했다.

몇 분 동안이나 여권을 검색하던 그는 인터폰으로 다른 직원을 불렀다. 그리고 즉시 나타난 다른 직원이 그 필리핀 사람을 데리고 어디론가 사라져 버렸다. 도대체 어디로, 왜 데리고 갔는지, 그리고 그 결과가 어떻게 되었는지 나는 알지 못한다. 그러나 당당한 미국 관리를 힘없이 따라가는 필리핀 사람의 뒷모습에서, 1972년 뉴욕 공항에서 흑인 FBI 요원에게 당했던 그 모멸을 떠올리며 격세지감을 느끼지 않을 수 없었다.

이제 세월이 흘러 우리는 필리핀보다는 훨씬 잘 사는 나라가 되었다. 한국을 부러워하는 사람들도 세상에는 얼마든지 많다. 적어도 외형적으로는 선진국에 비해 손색이 없어 보일 정도다. 그러나 그 외형 속에 과연 어떠한 것들이 들어 있는지 우리는 정직하게 짚고 넘어가야 한다.

1973년에 유럽 출장을 위해 서울을 출발했다가, 급박한 일 때문에 홍콩에서 일본을 거쳐 서울로 되돌아온 일이 있었다. 따라서 유럽에서 사용할 경비가 고스란히 지갑에 남게 되었는데 약 3000달러나 되었다. 73년도에 3000달러라고 하면 대단히 큰 금액이었다.

동경에 호텔을 예약하지 않고 갑자기 도착했기 때문에 하네다 공항 도착 즉시, 공항에 있는 호텔 예약 카운터에서 호텔을 예약하였다. 그리고 택시를 타고 예약된 호텔로 갔는데, 도착하여 요금을 지불하려고 보니 지갑이 없어진 것이었다. 큰 돈을 잃어버렸기 때문에 아쉬움이 없는 것은 아니었지만, 정작 그보다는 이상하게도 일종의 통쾌감이 더 컸다. '일본 사람들, 너희들이 가장 정직

하다고 뽐내더니 너희 나라에도 역시 소매치기가 있구나!' 바로
이런 생각 때문이었다.

도어맨의 연락을 받고 나온 호텔 지배인이 내 명함을 보고 자기
가 대신해서 택시비를 내 주었다. 그리고는 나에게 물었다.

"지갑을 어디다 두신 것 같습니까?"

내가 당당하게 반문했다.

"아니, 소매치기를 당했는데 어떻게 기억할 수 있겠습니까?"

그 때 호텔 지배인이 뭐라고 말한 줄 아는가?

"미스터 리, 일본에는 소매치기가 없습니다. 당신이 분명히 어
디다 두고 온 것입니다. 당신이 도착해서부터 여기 오기까지의 전
과정을 설명해 주십시오. 제가 찾아 드리겠습니다."

그래서 내가 설명을 했다. 세관을 통과하고, 호텔 예약 카운터
에 가서 예약하고, 돈을 지불하고, 그리고 택시를 타고 왔노라고
말이다.

그 후 짐을 풀고 식당에서 저녁을 먹고 있는데, "미스터 리, 프
런트로 와 주십시오"라는 안내 방송이 나왔다. 프런트로 갔더니
호텔 지배인이 하는 말이 이러했다.

"미스터 리, 당신이 공항 호텔 예약 카운터에서 돈을 지불하고
지갑을 그냥 그 곳에 두고 왔더군요. 그래서 그 직원이 지금 당신
의 지갑을 가지고 이리로 오고 있습니다."

그의 말에 나의 얼굴이 붉어졌다. 한참 뒤에 내가 만났던 공항
직원이 정말 지갑을 들고 왔다. 나는 속으로 '그래도 돈의 일부는
없어졌겠지' 하고 생각했다. 그러나 지갑 속의 돈은 단 1달러도
없어지지 않고 고스란히 들어 있었다. 나는 그 직원에게 사례비로

100달러를 주었지만 그는 자신이 할 일을 했을 뿐이라며 끝내 사양하고 그냥 되돌아갔다.

그 뒤에 수십 차례 일본을 여행하면서, 일본에 살거나 여행하는 외국인 중 많은 사람들이 이런 경험을 했음을 알게 되었다. 일본인들에게 정직은 일상사였던 것이다. 그런데 우리 나라에서도 이런 일상사로서의 정직을 과연 볼 수 있겠는가?

1983년에 하와이에 가서 일행과 함께 하나우마 만을 찾았다. 언덕 위에서 만을 내려다보며 사진을 찍은 다음, 벤치에 앉아 잠시 이야기를 나누다가 다시 차를 타고 다음 행선지를 향해 출발하였다. 한 20분쯤 지났을 때 일행 중 한 사람이 갑자기 소리를 질렀다. 우리가 앉아 있던 벤치 위에 자신의 여권과 돈지갑이 든 손가방을 두고 왔다는 것이다. 다시 되돌아갔다. 되돌아가는 데도 20분이 걸렸으니, 총 40분 정도의 시간이 지난 셈이었다.

자동차가 도착하자 우리 일행은 모두 문제의 벤치를 향해 달려갔다. 그런데 그 벤치 위에 앉아 있던 백발의 미국인 할머니가 우리 일행 중에 있는 가방 주인을 먼저 알아보고 기뻐하며 영접하는 것이었다. 할머니가 그 가방의 주인을 먼저 알아본 것은, 벤치에 놓여 있던 가방을 발견한 후에 어떻게 가방의 주인을 찾을 수 있을까 궁리하며, 그 속에 들어 있던 여권의 사진을 확인한 까닭이었다. 가방을 되찾은 사람보다도, 무려 40여 분 동안이나 주인을 기다렸던 할머니가 더 기뻐했다. 나는 그 날 할머니가 한 말을 잊지 못한다.

"나는 당신이 꼭 올 줄 알고 기다리고 있었습니다."

과연 우리에게도 이런 친절이 있는가?

1994년에 안식년을 맞아 일본을 여행하던 중 디즈니랜드에 갔을 때의 일이다. 일행 중에 연로한 분이 있었다. 식당에서 밥을 먹다가 피곤을 이기지 못한 그분이 긴 의자에 잠시 눕게 되었다. 조금 후 20대의 일본 남자 종업원이 그분에게 가서 뭐라고 일본말로 얘기를 하자, 그분이 갑자기 몹시 당황스러운 표정을 지으며 금방 일어나 자세를 가다듬는 것이었다. 나는 그분이 종업원으로부터 식당 의자에 누워 있으면 안 된다는 말을 들었나 보다고 생각했다. 그러나 사실은 정반대였다. 그 청년이 이렇게 말을 했다고 한다.

"피곤해서 주무시려면 베개를 갖다 드릴까요?"

뜻밖의 말에 그분은 더 이상 누워 있을 수가 없어서 벌떡 일어났다는 것이다. 인간에 대한 이런 따뜻한 마음씀을 우리 나라에서도 눈으로 확인할 수 있는가?

선진국 어느 나라를 가든지 비행기를 탈 때에 노약자나 어린이를 먼저 태운다. 그것은 사회적인 합의요 묵계다. 설사 일등석 표를 갖고 있는 사람도 그에 대해서는 이의를 제기하지 않는다. 약한 자에 대한 이런 배려야말로 그들의 의무로 여기는 까닭이다.

1974년에 사업을 할 당시, 나의 비즈니스 파트너 중에 아라까와라는 이름을 가진 연세 많은 일본인이 있었다. 내게는 아버지뻘 되는 분이었다. 내가 일본에서 처음 그분을 만나던 날, 그는 나를 자기 집으로 저녁식사 초대를 했다. 그 집으로 들어가면서 나는 깜짝 놀랐다. 남편이 벨을 누르자 아내가 현관에서 무릎을 꿇고 문을 열어 주는 게 아닌가! 그뿐이 아니었다. 여전히 무릎을 꿇고 나를 향해 큰절을 하더니 내 신발을 벗겨 주는 것이었다. 내 어머니 같은 분이 말이다.

졸지에 분에 넘치는 영접을 받아 송구스러워진 나도 현관에서 큰절을 하려고 하자 아라까와 상은, 당신은 손님이니까 절을 받기만 하면 된다며 극구 말리는 것이었다. 밥을 먹는 동안에도 아라까와 상의 부인은 무릎을 꿇고 앉아 계속 내 시중을 들어 주었다. 일본인의 삶 속에 배어 있는 일본 고유의 전통과 문화 그리고 예의를 직접 경험한다는 것은 참으로 감동적인 일이었다.

다음 날 저녁에 아라까와 상을 다시 만나자 그가 하는 말이 이러했다.

"어제 저녁에는 늙은 부부가 사는 우리 집에서 식사를 하느라 당신이 고리타분했을 테니까, 오늘은 당신 또래 젊은이들이 노는 데로 가 보겠습니다."

그리고는 아카사카에 있는 디스코테크로 들어갔다. 그 때까지만 해도 나는 춤이란 남녀가 짝을 이루어 추는 것으로 알고 있었다. 그런데 그 곳은 전혀 그렇지 않았다. 그 곳에 있는 일본 젊은이들은 파트너도 없이 각각 춤을 추고 있었다. 무대에서 춤을 추는 사람도 있고, 의자에 앉아서 춤을 추는 사람도 있고, 복도에서 춤을 추는 사람도 있고, 심지어는 화장실에 갔더니 화장실에서도 춤을 추는 사람이 있었다. 지금은 서울에도 그런 곳이 많다지만, 그 당시의 나로서는 도저히 이해할 수 없는 광경이었다.

내 눈에는 그들이 다 미친 사람처럼 보였다. 몇 분을 견디지 못하고 아라까와 상의 손을 잡고 밖으로 나왔다. 네온사인이 휘황하게 번쩍이는 아카사카의 밤거리를 걸으면서 내 마음 속엔 일말의 통쾌함이 있었다. 그래서 아라까와 상에게 이렇게 말했다.

"아라까와 상, 나는 어젯밤 당신 댁에 가서 살아 있는 일본의 문화와 전통 그리고 예의범절을 보고 많은 감명을 받았습니다. 그러나 당신의 나라도 이젠 앞날이 그리 밝지만은 않아 보입니다. 당신의 세대는 애써서 선진사회를 건설했는데 젊은이들은 저렇게 광란에 빠져 있으니, 저러고서야 어떻게 일본의 앞날이 밝다고 하겠습니까?"

그러자 아라까와 상이 걸음을 멈추고 나의 얼굴을 빤히 들여다보며 말했다.

"미스터 리, 어제 내 아내를 보고 감명을 받았다고 했지요. 그러나 내 아내도, 나 자신도, 젊었을 때는 우리 나름대로 저 젊은이들처럼 놀았다오. 지금 저 청년들, 저렇게 노는 젊은이들 때문에 이 나라의 미래가 밝지 않다구요? 나는 저렇게 노는 저 젊은이들이 나이가 들면 나와 내 아내처럼 살 것을 믿는다오."

그 날 밤 얼마나 깊은 감명을 받았는지 모른다. 기성 세대가 광란에 빠져 있는 것처럼 보이는 젊은 세대를 믿어 주는 사회, 그 젊은이들도 기성 세대처럼 똑같이 정직하고 성실하고 근면하게 살 것을 믿어 주는 사회는 얼마나 아름다운 사회인가?

오늘 이 나라의 대학은 공부하는 분위기보다도 노는 분위기가 더 크게 지배하고 있다. 오늘날 수없이 많은 젊은이들이 쾌락을 좇고 있다. 과연 이 땅의 기성 세대가 그처럼 놀고 있는 젊은이들을 가리켜서 저들이 나이 들었을 때 반드시 정직하고 성실하고 근면한 이 나라의 주역들이 될 것이라고 믿을 만큼, 우리 사회엔 지금 정직이 있고, 질서가 있고, 성실이 있고, 예의범절이 있는가?

유럽에는 지금도 수백 년 전에 지어진 다리 위로 자동차가 다니고, 몇백 년 된 집 속에서 사람들이 안락하게 살고 있다. 그러나 이 나라는 10년도 안 된 다리가 내려앉고, 수년밖에 안 된 백화점이 무너진다. 곳곳에서 터지고, 무너지고, 끊어지고, 내려앉는 사고가 끊이지를 않는다.

그렇다면 우리 젊은 세대는 도대체 어떻게 해야 하는가? 기성 세대를 탓하고 비판만 하고 있어야 하는가? 그럴 수는 없다. 우리나라에도 어느 시대든지 청년들은 항상 있어 왔다.

40년대와 50년대의 청년들이 목숨을 걸고 나라를 찾고 지켰다면, 60년대와 70년대의 청년들이 이 땅에서 가난을 물리치고 우리 나라가 세계를 향해 발돋움할 수 있는 발판을 마련했다면, 오늘의 청년들은 이런 기성 세대에게 감사할 수 있어야 한다. 그리고 그 다음 몫을 오늘의 청년들이 감당해야 한다.

그러므로 이 땅의 청년들은 이제부터 정직의 씨를 뿌려야 한다. 신실의 씨를, 근면의 씨를, 진실의 씨를, 이 시대의 청년들이 뿌려야 한다. 울더라도 뿌려야 한다. 괴롭더라도 뿌려야 한다. 어렵더라도 뿌려야 한다.

뿌리지 않으면 거둘 수가 없다. 뿌리지 않으면 다른 사람들이 피해자가 되는 게 아니다. 지금 청년들이 뿌려야 할 씨를 뿌리지 않으면, 20년 후에 그들 자신이 피해자가 되며, 그 자식들이 피해자가 된다. 60년대와 70년대에는 이 땅의 청년들이 성장의 씨는 뿌렸으되 성실의 씨는 외면했기에, 모든 것이 부실해진 사회 속에서 바로 그들 자신과 그들의 자식들이 피해자가 된 것과 같은 이치다.

한적한 산 속에 길이 나 있다면, 누군가가 그 길을 닦았기 때문이다. 바로 그 누군가로 인해 사람들은 그 산을 넘을 수가 있는 것이다. 오늘날 선진국들이 정직하고 의로운 사회, 질서가 바르게 구축된 사회를 이루고 있다면, 그것은 누군가가 앞서 그 씨를 뿌렸기 때문이다.

가톨릭 시인인 구상 선생님과 몇몇 사람들이 앉아서 식사를 할 때 한 사람이 이런 질문을 했다.

"선생님, 정말 세상이 온통 어둡습니다. 온통 흙탕물입니다. 이럴 때에 크리스천들은 도대체 어떻게 살아야 합니까?"

구상 선생이 대답했다.

"크리스천으로 맑은 물을 계속 흘려 보내어야 합니다."

그러자 그 사람이 또 물었다.

"선생님, 온 세상이 흙탕물인데 크리스천이 맑은 물 몇 방울을 보낸다고 이 세상이 맑아지겠습니까?"

이 반론에 대한 구상 선생님의 대답은 이랬다.

"그래도 크리스천들은 그렇게 살아야 합니다."

왜 그런가? 그 결과를 하나님께서 책임져 주시기 때문이다.

오늘 서구 유럽이 바른 사회를 이루고 있다면 그것은 기독교 믿음의 씨앗이 바르게 뿌려진 후에 거두어진 열매들이다. 많은 사람들이 믿음으로 바르게 씨를 뿌렸기에 오늘날과 같은 사회가 가능해진 것이다.

대다수의 사람들은 일본 교회를 과소평가하고 있다. 일본은 크리스천들이 전 국민의 1퍼센트밖에 되지 않기에 기독교의 불모지라고 불린다. 그러나 우리는 이 한 가지 사실을 알아야 한다. 1퍼센트밖에 되지 않는 일본의 기독교인들은 철저한 기독교인들이라는 사실을 말이다.

일본인들처럼 세례를 받기까지 많은 시간을 필요로 하는 사람들은 세계에 없다. 그들은 세례를 받는 순간까지 '정말 말씀대로 사는 사람이 될 수 있을 것인가?' 라는 질문을 끊임없이 자기 자신에게 던져 본 뒤 세례를 받는다. 그래서 일단 세례를 받은 사람들은 정말 철저하게 살아간다.

일본은 우찌무라 간조 같은 세계적인 신학자를 배출했다. 가가와 도요히꼬와 같은 세계적인 사회봉사자를 배출했다. 엔도 슈사꾸 같은 위대한 가톨릭 문인을 낳았다. 미우라 아야꼬처럼 온 세계 사람들이 사랑하는 개신교 작가도 있다. 우리에겐 과연 그런 인물들이 있는가?

일본은 전체 크리스천 수에 비해 가장 많은 선교사를 파송한 나라로 알려지고 있다. 100만 명에 불과한 크리스천들이 무려 300명 이상의 선교사를 파송하고 있다. 3000명당 한 명의 선교사를 파송한 것이다.

그래서 나는 믿는다. 비록 일본 기독교인의 숫자가 미미하다고 할지라도, 그 1퍼센트의 사람들이 뿌린 씨앗의 열매가 일본 도처에서 거두어지고 있다는 사실을 말이다.

바닷물 속에 포함되어 있는 불과 2.8퍼센트의 소금이 바닷물을 썩지 않게 한다. 다른 사람을 향해서 네가 2.8퍼센트가 되라고 이야기하지 말자. 바로 나 자신이 먼저 2.8퍼센트에 들어가야 한다. 고통스러울지라도, 눈물을 흘릴지라도, 지금부터 크리스천답게 뿌려야 할 씨앗들을 뿌리자. 반드시 기쁨으로 단을 거두게 될 것이다. 이것은 인간의 보증이 아니라, 천지를 창조하신 전능하신 하나님의 보증이다.

크리스천과 문화

그런즉 너희가 알지 못하고 위하는 그것을 내가 너희에게 알게 하리라 행 17:23하

미국에는 가톨릭 교회가 운영하는 '무비라인'(movie line)이라는 상담 전화가 있다. 말 그대로 영화 상담 전화로, 특정 영화에 대한 관람 여부를 상담해 준다.

그런데 십중팔구는 영화를 보지 말라고 한단다. 그 영화에는 정사장면이 너무 노골적이다, 그 영화에는 폭력이 너무 난무한다, 그 영화는 내용이 너무 지저분하다는 등 이런저런 이유로 영화관람을 금한다는 것이다. 자연히 전화를 건 사람은 무비라인에서 권장하는 영화는 무엇인지 묻게 되고, 무비라인은 월트디즈니사가 제작한 '라이언 킹' 같은 영화를 권한다고 한다. 그런 종류의 영화는 매우 교육적이고 교훈적이므로 크리스천들이 마음놓고 볼 수 있는 좋은 영화라는 것이다.

그런데 우리 나라에서 활발하게 기독교 문화 운동을 벌이고 있

는 어느 단체는 '라이언 킹'을 보지 말라고 한다. 그 영화는 대표적인 뉴에이지 영화이며, 동물을 주인공으로 삼은 그 영화를 보면 자신도 모르게 동물을 우상으로 섬길 수 있으므로 기독교인과 주일학교 어린이는 그 영화를 보아서는 안 된다는 것이다.

도대체 어느 쪽 말이 맞는 것인가? 미국 가톨릭이 운영하는 무비라인의 말이 맞는가? 아니면 한국의 기독교 문화 운동 단체의 주장이 옳은가?

몇 해 전에 지방에 사는 한 주부가 나에게 상담전화를 걸어왔다. 자신이 출석하는 교회의 목사님은 이 세상의 음악은 다 사탄의 음악이므로 들어서는 안 된다고 가르친단다. 그런데 그녀는 서울에 있는 모 여대 음대를 졸업한 음악인인지라 하루라도 음악감상을 하지 않고서는 견딜 수가 없다는 것이다. 그래서 세상의 음악을 즐기는 자신이 정말 사탄을 섬기고 있는 것인지 아닌지를 알고자 함이 상담의 요지였다.

요 근래 기독교 일각에서 문화 운동이 활발해지기 시작하면서 소위 사탄 문화와 세속 문화, 그리고 기독교 문화를 나누는 이분법이 성행하고 있다. 그런데 그 기준이라고 하는 것이 참으로 모호하다. 앞서 언급한 '라이언 킹'이 좋은 예다.

같은 크리스천인데도 한쪽에서는 보라고 하고, 다른 쪽에서는 보면 안 된다고 한다. 심지어 근본주의적인 경향을 가지고 있는 선교단체에서는 하나님의 '하' 자나 예수님의 '예' 자가 들어가지 않는 것은 아무리 훌륭해도 다 사탄 문화라고 속단해 버리기도 한다. 그렇다면 질이 형편없고 수준이 저급한 문화라도 하나님의 호칭만 들어가고 예수님에 대한 언급만 있으면, 과연 그것이 바람직

한 기독교 문화가 될 수 있다는 말인가?

역사적으로 교회가 사회와 문화, 소위 크리스천이 말하는 세상에 대해 어떤 입장을 취해 왔는지를 살펴보면 이에 대한 해답을 읽을 수 있다.

12월 25일이 성탄절이라는 것은 믿지 않는 사람들도 다 안다. 바로 예수 그리스도께서 탄생하신 날이다. 믿지 않는 사람들도 그날은 기뻐한다. 그런데 같은 기독교의 한 종파인 그리스 정교회는 지금까지도 1월 6일을 성탄절로 삼고 있다. 그들에게는 12월 25일이 성탄절이 아니다.

그뿐 아니라 기독교 역사상 교회는 12월, 1월, 3월, 4월 그리고 5월에도 성탄절을 지킨 적이 있었다. 그 이유는 성경에 예수님의 탄생 날짜가 기록되어 있지 않기 때문이다. 따라서 예수님께서 몇월 며칠에 태어나셨는지 아무도 알지 못한다. 게다가 학자마다 견해가 다 다르다. 그들 나름대로 일리 있는 주장이기는 하지만, 그렇다고 해서 누구의 주장이 정확한지는 아무도 모른다. 그런데 어떻게 해서 12월 25일이 거의 모든 세계인들이 인정하는 성탄절이 되었는가?

본래 12월 25일은 로마인이 섬기던 태양신을 기념하는 축제일이었다. 태양신을 위한 축제일이었기에 그 날은 로마인들이 모두 쉬는 휴일이었다. 따라서 기독교가 로마의 국교가 되면서 따로 날짜를 정할 필요가 없이, 그 때까지 그들이 섬겼던 태양신의 축제일이 성탄절로 자연스럽게 바뀌게 된 것이다.

오늘날 서구인들이 성탄절에 고깔모자를 쓰고 등불을 밝히는 것은, 로마 시대에 로마인들이 태양신을 섬기며 행하던 축제 행사의 관습들이다. 즉 태양신을 위한 관습마저 성탄절을 위한 관습으로 바뀐 것이다. 이를테면 우리 나라에서 부처님의 탄생을 기리는 사월 초파일을 예수 그리스도의 성탄일로 결정하는 것과 마찬가지 경우가 된다. 과연 우리 나라에서 그런 일이 가능하겠는가? 그렇지만 초기 크리스천들은 이처럼 세속적인 축일을 예수 그리스도의 탄생일로 수용했을 뿐 아니라 그 관습까지 받아들이기를 주저하지 않았다.

대다수 교회의 강대상에는 십자가가 붙어 있다. 교회 지붕 위에도 십자가가 자리잡고 있다. 십자가는 크리스천들이 가장 거룩하게 여기는 기독교 상징물이다. 그러나 이 십자가는 예수님 당시 성경의 유물이 아니었다. 아무리 성경을 읽어도 구약에서 십자가라는 단어를 단 한 번도 발견할 수 없는 것은, 십자가라는 형틀이 본래 유대인들의 것이 아니기 때문이다.

십자가는 로마인과 페르시아인이 쓰던 이방인의 형틀이었다. 그러나 교회는 예수님께서 이방인의 형틀 위에서 돌아가셨다고 해서 그 형틀을 의미 없다고 배척하지 않았다. 오히려 이방인의 형틀을 구원의 상징으로 적극 수용하였다.

만약 2000년 전 주님께서 프랑스제 기요틴 위에서 돌아가셨다면, 지금 우리는 예배당 앞에 기요틴을 걸어놓고 예배를 드릴 것이다. 만약 주님께서 옛날 우리 나라의 중죄수에게 씌웠던 칼을 쓰고 돌아가셨다면, 우리는 지금 분명히 한국식 칼을 걸어놓고 거룩하게 예배드리고 있을 것이다.

어쨌든 교회는 그 이방인의 형틀인 십자가를 적극적으로 수용하여 기독교의 거룩한 상징물이 되게 했고, 위로는 하나님을 사랑하고 옆으로는 사람들을 사랑하라는 기독교의 메시지를 이 십자가를 통해 적극적으로 표현하였다. 오늘날 이 십자가가 본래 이방인의 형틀이었다고 해서 비기독교적이라 말하는 사람은 아무도 없다.

성경을 기록한 언어도 그렇다. 본래 유대인들이 쓰던 언어는 히브리어였지만, 주전 1000년 경부터 앗수르 제국이 사용하던 아람어의 영향을 받게 되었다. 구약성경의 일부가 이방 언어인 아람어로 기록되어 있는 이유가 여기에 있다. 그렇다고 해서 그 부분을 구약이 아니라고 아무도 부정하지 않는다.

신약성경은 아예 처음부터 끝까지 그리스어로만 기록되어 있다. 그것 역시 유대인의 언어가 아닌, 이방인의 언어에 지나지 않는다. 구약성경을 기록한 언어와는 전혀 이질적인 언어다. 세속 언어를 도구로 삼아 성경이 기록된 것이다. 그러나 그리스어로 기록된 신약 역시 성경이다.

로마 제국 시대에 성경은 로마인의 언어인 라틴어로도 번역이 되었다. 그래서 로마의 지배하에 있던 많은 사람들이 그리스어나 라틴어로 성경을 보게 되었다. 오늘날 성경은 수없이 많은 언어들로 번역이 되어 있다. 그 모두가 이방인의 세속적인 언어지만, 그러나 하나님을 위한 도구로 사용했을 때 곧 성경의 언어가 되었다.

유럽에 가면 도처에 웅장한 예배당들이 세워져 있다. 고딕식, 이오니아식, 코린트식 그리고 도리아식 등 그 양식도 다양하다. 그러나 그 중 어떤 것도 성경 속에 있었던 양식은 없다. 그것은 모두 성경 밖의 건축 양식들이다. 솔로몬이 예루살렘 성전을 지을 때의 양식이 전혀 아니다. 그렇지만 세속적인 건축 양식으로 하나님을 위한 집을 지을 때, 그 모든 예배당은 거룩한 하나님의 예배당이 된다.

기독교가 공인되기 전까지 로마의 기독교인들은 그 유명한 카타콤 지하 묘지에서 예배를 드렸다. 시체가 안치되어 있는 지하 묘지에서 하나님을 경배한 것이다. 그 곳에 쌓여 있던 시체들은 하나님을 믿었던 사람들의 시체가 아니었다. 하나님을 알지도 못하던 사람들의 시체였다. 그렇지만 그 지하 묘지가 하나님을 예배하는 장소로 쓰였을 때, 카타콤은 이 세상의 그 어떤 예배당보다도 더 거룩한 예배당이 되었다.

악기도 마찬가지이다. 우리가 오늘날 예배를 드릴 때 사용하는 피아노나 오르간 그리고 오케스트라 연주시 사용하는 바이올린이나 비올라 등 그 어느 것도 성경 속의 악기는 아니다. 다 세속적인 악기이다. 그렇지만 그 악기가 하나님을 위해서 사용될 때 그것은 하나님을 위한 거룩한 악기가 된다. 기와집 형식으로 예배당을 지으면 은혜가 덜 되고, 가야금으로 연주하면 은혜가 반감된다는 생각이야말로 철저하게 비성경적이다.

요한복음 1장 1절이 이렇게 증거하고 있다.

"태초에 말씀이 계시니라. 이 말씀이 하나님과 함께 계셨으니 이 말씀은 곧 하나님이시니라."

사복음서 중에서 사도 요한에 의해 가장 나중에 기록된 요한복음은 예수 그리스도를 가리켜, 태초에 하나님께서 천지창조를 하실 때 '말씀'으로 계시던 바로 그분이라고 설명하고 있다. 그런데

이 '말씀'이라는 단어가 그리스어 원문에는 '로고스'(Logos)로 기록되어 있다.

로고스라는 단어의 본뜻은 '만물을 지배하는 이성적인 원리'이다. 당시 그리스 사람들은 만물이 어떤 이성직인 원리의 지배를 받는다고 생각했다. 모두가 그렇게 생각하고 있었다. 사도 요한은 그와 같은 사고방식에 젖어 있는 사람들에게 예수 그리스도의 복음을 전하면서, 그들이 생각하는 만물을 지배하는 이성적인 원리, 곧 로고스가 바로 예수 그리스도라고 설명을 한 것이다. 그들이 전혀 알지 못하는 성경의 용어로 예수 그리스도를 설명한 것이 아니라, 그들이 익히 알고 있는 세속적인 용어로 예수 그리스도를 소개한 것이다. 그리고 그 용어는 곧 성경의 용어가 되었다.

오늘날 로고스라는 단어를 놓고서 '아, 이것은 이성이다'라고 생각하는 사람은 없다. 로고스라고 하면 전능성과 인격성과 영원성을 갖춘 예수 그리스도를 뜻한다는 데 아무도 이의를 제기하지 않는다.

선교 여행을 하던 바울이 그리스의 아덴(아테네)에 도착했다. 그가 아레오바고에 서서 많은 사람들에게 복음을 전했다. 아레오바고란 사람을 재판하던 언덕을 가리키는 말이다. 이에 대해 사도행전 17장 22절이 이렇게 증거하고 있다.

"바울이 아레오바고 가운데 서서 말하되, 아덴 사람들아, 너희를 보니 범사에 종교성이 많도다."

우리가 알다시피 그리스는 '신화'의 나라이다. 그리스 사람들은 제우스, 포세이돈, 아폴론, 디오니소스 등 하늘에도 신, 땅에도 신, 바다에도 신, 수없이 많은 신들을 만들어 냈다. 가히 신들의 나라라고 해도 지나치지 않다. 그 사람들이 얼마나 종교성이 많으면 그처럼 많은 신들을 스스로 만들었겠는가? 바울은 그 종교성을 언급한 것이다.

그리고 23절이 이렇게 이어지고 있다.

"내가 두루 다니며 너희의 위하는 것들을 보다가 알지 못하는 신에게라고 새긴 단도 보았으니, 그런즉 너희가 알지 못하고 위하는 그것을 내가 너희에게 알게 하리라."

바울은 아테네 시민들이 '알지 못하는 신'을 위해 만들어 둔 제단을 보았던 것이다. 그것은 그들이 만들어 낼 수 있는 모든 신들을 다 만들고 나서, 그래도 혹 빠졌을지도 모르는, 그야말로 알 수 없는 미지의 신을 위한 제단이었다.

한마디로 그것은 우상을 위한 제단이었다. 그럼에도 바울은 그 어리석은 제단을 헐어 버릴 것을 종용하거나, 파괴하려 하지 않았다. 바울은 도리어 그 제단을 예수 그리스도를 전하는 도구로 삼았다.

"너희들은 '알 수 없는 신'을 알고 있구나. 너희들의 지성으로나 이성으로는 도저히 알 수 없는 신이란 말이겠지. 너희들이 이제껏 알지 못했던 그 신이 바로 예수 그리스도시다."

바울은 세속적인 제단을 예수 그리스도를 위한 복음의 도구로 수용한 것이다. 성경은 그렇다고 바울이 사탄의 하수인 노릇을 했다고 매도하지 않는다. 도리어 뒤에 나오는 33절에서 34절이 이렇게 밝혀 주고 있다.

"이에 바울이 저희 가운데서 떠나매 몇 사람이 그를 친하여 믿으니, 그 중 아레오바고 관원 디오누시오와 다마리라 하는 여자와 또 다른 사람들도 있었더라."

세속적인 제단을 사도 바울이 예수 그리스도를 위한 선교의 도구로 수용했을 때, 예수 그리스도를 알지 못하던 자들이 주님을 믿게 되었음을 성경은 분명히 증거하고 있다.

지금까지 살펴본 것처럼, 무엇이든지 중심으로 하나님을 위하여 사용하기만 하면 그 모든 것은 하나님을 위한 아름다운 도구가 된다는 것이다. 처음부터 기독교적인 것과 세속적인 것이 구별되어 있는 것이 아니다. 무엇이든지 그 중심으로 하나님을 위해서 쓰면 그것은 하나님의 것이 된다. 왜 그런가? "하나님이 세상을 이처럼 사랑하사 독생자를 주셨으니"—하나님께서 이 세상의 모든 것을 사랑하시기 때문이다.

그러므로 겉모습이나 형식이 중요한 것이 아니라 그것을 사용하는 자의 중심이 중요하다. 누구를 위해서 쓰이는가가 중요하다는 말이다. 아무리 하나님의 이름을 부른다 할지라도 인간의 영광을 위한 것이라면 그것은 절대로 신앙적이거나 기독교적인 문화가 될 수 없다. 그러나 하나님을 언급하지 않았다 해도 그 중심이 하나님을 위한 것이라면, 그것이야말로 가장 위대한 기독교적 유산이 아닐 수 없다.

셰익스피어의 소설 속에 하나님에 대한 언급이 한 번도 나오지 않는다고 해서 그것을 비기독교적인 문학이라고 말할 사람이 있겠는가? 앙드레 지드의 소설 속에 예수님의 이름이 나오지 않는데 왜 그의 소설만 보면 영혼이 정화되고 마음이 순화되는가? 지드는 언제나 하나님을 위하여 소설을 썼기 때문이다. 헤밍웨이의

〈노인과 바다〉라는 작품 속에 하나님에 대한 호칭이 한 번도 나오지 않는다고 해서 그 속에 인간을 향한, 인생을 향한 하나님의 메시지가 들어 있지 않다고 누가 단언할 수 있겠는가?

그렇다면 우리는 형식을 떠나, 정말 중심으로 모든 것을 하나님을 위해 사용할 수 있도록 진짜 실력을 갖춘 사람들이 되어야 한다. 예수 믿는 사람들의 이야기를 소재로 삼았다는 것만으로 참다운 기독교 영화가 될 수는 없다. 정말 믿음의 영화를 만들려고 한다면 스필버그 같은 진짜 감독이 되어야 한다.

어떤 사람들은 스필버그가 만든 영화는 모두 뉴에이지 영화라며 보아서는 안 된다고 말한다. 그러나 스필버그는 유대인 어머니 밑에서 철저하게 성경 교육을 받았던 사람이다. 그의 영화에는 언제나 성경의 뚜렷한 메시지가 있다.

'ET' 에서는 사랑이다. 죽은 ET를 소년이 손으로 만지며 사랑한다고 고백할 때 ET가 살아난다. 사랑보다 더 큰 생명, 더 위대한 힘은 없다는 메시지이다. '레이더스' 나 '쥬라기 공원' 같은 영화를 통해서는, 인간은 어떤 경우에도 하나님의 영역을 침범해서는 안 된다는 단호한 메시지를 우리에게 보여 준다. 그 유명한 '쉰들러 리스트' 에서 주인공 쉰들러는 단 한 번도 하나님을 부르지 않는다. 그러나 가장 결정적인 순간에 쉰들러가 예배당에서 십자가를 만지는 장면을 연출함으로써, 쉰들러의 그 행위가 인본적인 동기에 의한 것이 아니라 하나님을 향한 믿음 때문이라는 것을 분명하게 보여 주고 있다.

진짜 감독이 되어 이와 같은 한 편의 영화를 만들 수 있다면 그것은 참으로 아름다운 기독교 문화가 될 수 있다. 정말 청년들이 이 세상의 모든 것을 하나님의 것으로 바꾸기 위해서는, 이 세상의 모든 것을 하나님이 기뻐 사용하시는 하나님의 도구로 만들기 위해서는, 자신의 전공이 무엇이든지 간에 진짜 실력을 갖추기 위해 노력해야 한다.

하나님은 두 라인의 사람을 쓰신다. 한 라인은 진짜 행동파 사람이다. 베드로, 엘리야, 엘리사가 대표적인 사람들이다. 물불을 가리지 않고 행동하는 사람들이다. 행동하는 척하는 것이 아니라 죽음을 무릅쓰고 행동하는 사람들이다.

또 다른 라인은 진짜 실력파들이다. 모세 오경을 기록한 모세는 당시 세계 최대의 제국인 애굽 왕궁에서 왕립 교육을 받았던 사람이다. 다니엘서를 기록한 다니엘 역시 이스라엘에서 가장 총명한 청년으로 뽑혀서, 바벨론 왕궁에서 바벨론 왕립 교육을 받았다. 예언서를 기록한 예레미야나 에스겔과 같은 제사장들 역시 모두 당대 최고의 엘리트들이었다. 신약을 삼분의 일이나 기록한 사도 바울은 가말리엘 문하생으로 당대 최고의 석학이었다. 누가복음과 사도행전을 쓴 누가는 의학을 전공한 의사였다. 하나님께서는 진짜 실력파에게 하나님의 말씀인 성경을 기록하게 하신 것이다.

사랑하는 청년들이여!

하나님께서는 반드시 두 라인의 사람을 쓰신다. 따라서 그대들은 선택해야 한다. 진짜 행동파가 되든지 아니면 진짜 실력파가 되든지 선택해야 한다. 그리고 젊은 시절에 자신이 선택한 바를 위해 최선을 다해 자신을 가꾸어야 한다. 그리고 나서 이 세상의 어떤 것이든 자신의 중심으로 그것을 하나님을 위한 도구로 쓰고 가꿀 때, 세상은 정말 밝고 멋지고 아름다운 하나님의 세상으로

화할 것이다.

　이와 같은 삶의 결과로 수반되는 것이 기독교 문화이다. 기독교 문화 그 자체가 우리의 목적인 것은 결코 아니다. 우리의 목적은 언제나 삼위일체 되신 하나님, 그분뿐이다.

크리스천과 직업

우리가 살아도 주를 위하여 살고 죽어도 주를 위하여 죽나니
그러므로 사나 죽으나 우리가 주의 것이로라 롬 14:8

오랫동안 보지 못했던 친구가 몇 년 만에 나를 찾아왔다. 그가 찾아온 이유는, 인생의 고비를 맞아 중요한 결정을 내려야 하는데 어떤 결정을 내려야 좋은지를 상담하기 위해서였다.

그는 지금 세계적으로 잘 알려져 있는 미국 기업의 한국 지사에서 제2인자 자리에 올라 있다. 고액의 봉급을 받고, 많은 사람들로부터 능력을 인정받는 사람이다. 그런데 그의 바로 위에 있는 제1인자와 오래 전부터 말할 수 없는 갈등을 겪어 왔다.

그러던 차에 같은 업계에서 유럽의 자존심으로 불리는 회사로부터 한국 법인의 사장직을 제의받게 되었다. 그런데 공교롭게도 같은 시기에 또 다른 미국 회사로부터도 한국 현지 법인의 사장직을 제의받게 되었다.

두 곳 다 지금보다 훨씬 고액의 연봉을 제시하였다. 만약 그 제

의에 응하기만 하면 서로 불편한 관계에 있는 제1인자와 결별할 수도 있다. 그러나 지금 몸담고 있는 회사는 이미 국내에 기반이 다 닦여 있지만, 사장직을 제의한 두 회사는 이제 국내에 막 진출하는 기업이기에 여러 가지 도전이 도사리고 있다. 불확실한 것들이 많다는 의미이다.

친구의 아내는 조금만 세월이 지나면 저절로 사장이 될 텐데 왜 새삼스럽게 직장을 옮기느냐며, 현재의 회사에 그대로 있기를 원했다. 그는 이 세 회사 중에서 어느 쪽을 선택해야 할지 고민 고민하다가 나의 의견을 묻기 위해서 찾아왔던 것이다.

그의 말을 다 듣고 난 뒤 나는 다음과 같은 말을 해 주었다.

"사람과의 갈등을 피해서 직장을 옮기는 사람들이 있다. 그러나 사람과의 갈등은 어디에나 있게 마련이다. 95년 말에 현대그룹의 회장직을 물러난 정세영 씨는 자신의 신세가 동상(銅像)과 같다고 말했다. 비가 오면 비를 맞고, 눈이 오면 눈을 맞는 동상의 신세가 바로 자신과 흡사했다는 말이다. 그가 회장직에 앉아 있던 현대그룹의 실 소유주는 바로 그의 친형님이었다. 그렇지만 같은 직장 내에서 친형님과도 갈등이 있었음을 그는 그렇게 표현한 것이다.

윗사람과의 갈등을 없애기 위해서는 아예 제1인자가 되면 되겠구나 하고 생각할 수도 있다. 그러나 그렇더라도 사람과의 갈등이 사라지는 것은 아니다. 아랫사람과의 갈등도 있다. 윗사람과의 갈등보다 아랫사람과의 갈등이 더 괴롭고 견디기 힘들 때도 허다하다. 어떤 사람들은 조건을 따라 직장을 옮긴다. 그러나 얼마 가지 못해 곧 후회하는 것을 볼 수 있다. 조건은 늘 상대적이다. 언제든지 변한다. 오늘 좋은 조건이라고 해서 내일, 모레 그리고 영원토록 좋으리라는 법은 세상에 없다."

이렇게 말한 후 친구에게 몇 마디 덧붙였다.

"우리는 하나님을 믿는 크리스천들이다. 그러므로 무엇을 결정하는지 나에게 어떤 유익을 주느냐 하는 차원에서 떠나, 그것이 하나님과의 관계에서 어떤 의미를 갖느냐는 관점에서 생각하고 결정을 해야 한다. 자기 자신을 중심에 놓고 결정하려면 대단히 혼란스럽지만, 하나님을 믿는 사람으로서 하나님의 관점에서 생각한다면 해답은 명쾌하게 나올 것이다."

순간 친구의 눈이 반짝 하고 빛났다. 그 자신 크리스천임에도 불구하고 직장을 선택하는 그 중요한 문제를 놓고, 하나님과의 관계에서 어떤 것이 더 하나님의 영광을 드러내는가에 대해서는 생각하지 않았던 것이다.

로마서 14장 7절에서 8절은 다음과 같이 증거하고 있다.

"우리 중에 누구든지 자기를 위하여 사는 자가 없고 자기를 위하여 죽는 자도 없도다. 우리가 살아도 주를 위하여 살고 죽어도 주를 위하여 죽나니, 그러므로 사나 죽으나 우리가 주의 것이로라."

사도 바울은 이 말씀을 통하여 크리스천이란 어떤 사람이어야 하는지를 잘 정의해 주고 있다. 크리스천은 살아도 주를 위하여 살고 죽어도 주를 위하여 죽는 사람들이다. 이 말씀을 '직업'이라는 주제에 적용한다면, 크리스천들이란 직업을 가져도 주님을 위해서 가지며, 직장을 선택해도 주님을 위해서 결정하고 판단하는 사람들인 것이다.

1995년에 광주 비엔날레를 관람했다. 서울에서는 신문을 통해서, 광주에서는 그 입구의 포스터를 통해서 피카소의 진품 그림이 전시되어 있다는 사실을 알았다. 그러나 막상 전시장에 들어가서 그림을 보았을 때, 그것은 그 동안 내가 보았던 피카소의 그림 중에 가장 수준 미달의 작품이었다. 그럼에도 그 그림은 포스터의 제일 윗자리를 차지하고 있었고, 전시장 내에서도 가장 중요한 자리에 위치하고 있었다. 그 이유가 무엇인가? 작품의 수준을 떠나 그것이 바로 위대한 예술가 피카소의 작품이었기 때문이다.

몇 해 전에 타계한 김현 교수는 한국 문학 평론사에 중요한 획을 그은 평론가이다. 그가 타계한 뒤에 그의 유고를 모아 출판된 책을 읽은 적이 있다. 원고 중에는 김 교수의 명성에 걸맞지 않는 잡문들도 있었고, 별 의미 없는 신변잡기도 있었다. 그런데도 왜 많은 사람들이 그의 유고에 관심을 가지는가? 그 내용이 어떠하든, 그 유명한 평론가 김현 교수의 글이기 때문이다.

모든 크리스천들은 죽어도 주를 위해서 죽고 살아도 주를 위해서 사는 성도들이다. 그렇기에 성도들이 가지고 있는 모든 직업은 다 성직이 된다. 성도는 주님을 위해 직업을 갖는 까닭이다. 성직을 갖고 있기 때문에 성도가 되는 것이 아니라, 성도이기 때문에 그가 가진 직업이 무엇이든 거룩한 직업이 되는 것이다.

흔히 사람들은 성직과 세속직을 구분해서 말을 한다. 만약 목회자가 이 세상의 모든 직업은 다 세속 직업이고 목회직만이 성직이라고 말을 한다면, 그것은 성직자의 교만이요 독선이다. 반대로 목회자가 아닌 사람이 목회직만이 성직이라고 부른다면, 그것은 죽어도 주를 위해서 죽고 살아도 주를 위해서 살고 직업을 선택해도 주를 위해서 선택해야 할 크리스천으로서의 직무유기이다. 모든 크리스천들은 성도이기에 그가 갖는 직업이 기술직이든, 생산직이든 그리고 사무직이든 다 거룩한 직업이 된다.

이처럼 크리스천은 성도이기에 그들이 갖는 직업은 모두 성직이지만, 그 가운데는 가질 수 있는 직업과 가질 수 없는 직업이 있음을 잊어서는 안 된다.

식물에 '접붙이기' 라는 것이 있다. 만일 귤나무 가지를 탱자나무에 접붙인다면 어떻게 될까? 탱자가 열리는가? 아니다. 귤이 맺힌다. 왜냐하면 그 가지가 귤나무 가지이기 때문이다. 탱자나무는 단지 접붙여진 귤나무 가지에 귤이 필요로 하는 양분을 제공할 뿐, 어떤 경우에도 탱자를 열게 할 수는 없다. 그렇다고 귤나무를 아무 나무에나 접붙인다고 해서 모두 귤이 생산되는 것은 아니다. 유자나 탱자 그리고 금귤(흔히 '낑깡' 이라고 부름)과 같은 귤과 식물에만 접붙이기가 가능하다. 다시 말해 귤나무 가지를 탱자나무와 같은 귤과가 아닌, 사과나무나 상수리나무에 접을 붙이면 그 귤 가지는 절대로 귤을 맺지 못한다.

이처럼 크리스천들에게는 자기 자신을 접붙일 수 있는 직업이 있고 접붙여서는 안 되는 직업이 있다. 우리 나라 대표적인 주조회사의 총수 중 한 분은 가톨릭 신자이고, 다른 한 분은 개신교 신자다. 사람의 정신을 혼미하게 하는 술을 제조하여 어떻게 하면 그 술을 더 많이 팔 수 있을까, 온갖 지혜를 짜서 광고를 하는 그런 직업이 과연 크리스천의 바람직한 직업인가는 생각해 보지 않을 수 없다. 돈을 많이 번다고 해서 크리스천이 술집을 경영하고 도박장을 경영할 수 있겠는가? 내 사정이 딱하다고 해서 크리스천이 몸을 파는 창녀가 되거나, 아니면 포주가 될 수 있겠는가? 그러고서도 나는 성도이므로 나의 직업은 성직이라 말할 수 있겠는가?

영국의 유명한 평론가이자 역사학자였던 토마스 칼라일이 한 말이 있다.

"만약 나의 직업이 나를 영화롭게 하지 못한다면, 내가 나의 직업을 영화롭게 하리라."

하나님을 믿는 크리스천으로서 자신이 자기 직업을 통해 하나님을 영화롭게 할 수 없다면, 그 직업이 무엇이든 미련 없이 버리겠다는 의미이다. 예전에 목회했던 교회에서 그런 분들을 많이 보았다. 그 곳에서 적지 않은 이들이 예수 그리스도를 인격적으로 만난 이후, 자기 직업이 조직적인 불의와 불가분의 관계에 있음을 깨달았을 경우 미련 없이 그 직업을 버렸다. 하나님께서 그분들의 삶을 더 아름답게 책임져 주셨음은 물론이다.

그렇다면 죽어도 주를 위해서 죽고 살아도 주를 위해서 사는 크리스천으로서 주를 위해 직업을 선택한다는 것은 구체적으로 무엇을 의미하는가?

앞서 얘기한 친구가 내게 이런 질문을 했다.

"하나님의 관점에서 직장도 선택하고 직업도 결정해야 한다는 것은 모두 이해하겠네. 그렇지만 지금 나의 경우에 어느 쪽을 선택하는 것이 하나님을 위한 선택일 수가 있단 말인가?"

자기 자신의 유익을 위해서가 아니라 한 사람이라도 더 많은 사람의 유익을 위해, 더 많은 사람에게 봉사하기 위하여 직업이나 직장을 선택한다면, 그것은 모두 하나님을 영화롭게 하는 거룩한 직업이요 직장이 된다.

나무의 열매를 생각해 보자. 나무는 열매를 맺기 위하여 봄부터 1년 내내 온갖 에를 다 쓴다. 그러나 나무는 절대로 자기 자신을 위해 열매를 맺지 않는다. 만약 나무가 자기 자신을 위해서 열매를 맺고 지키려 한다면 그 열매는 썩어 버릴 것이요, 썩어 버린 열매를 움켜쥐고 있는 나무 자체도 상하게 될 것이며, 그 썩은 열매를 먹는 사람도 해치게 될 것이다. 나무가 자기 자신을 위해 열매를 맺으려 하면 이처럼 모두를 다 해치고 만다. 나무는 자기 유익이 아닌 타인의 유익을 위해 열매를 맺기에, 그 열매는 언제나 생명을 공급하는 것이다. 그것이야말로 자기도 살고, 타인도 살리며, 열매의 가치도 극대화시키는 유일한 길이다.

나는 지금 어떤 직업을 가지고 있는가? 아니 더 중요한 질문을 해 보자. 나는 지금 내가 가지고 있는 직업을 통해서 얼마나 많은 사람들에게 봉사하고 있는가? 중국요리용 튀김 기름을 만드는 공장의 경영주가 사람이 먹어서는 안 될 불량재료를 넣은 기름을 만들어 유통시키다가 적발된 사건이 온 세상을 떠들썩하게 한 적이 있었다. 무슨 일을 하든 무슨 직업을 갖든 자기의 유익이나 자기의 주머니만을 위해 일한다면, 그의 일터는 불의의 온상과 부정의 근원이 될 수밖에 없다.

자신의 직업으로 사람에게 봉사하기 위해 살아가지 않으면, 자기 직업을 통해 주님의 영광을 드러내고 그 직업을 통해 그 자신이 영화로워지기는 지극히 어렵다.

혹시 지금 직업이나 직장을 선택해야 하는 기로에 서 있는가?

세상 사람들은 얼마나 많은 돈을 벌 수 있고, 번 돈으로 예금을 얼마나 할 수 있으며, 언제쯤 좋은 집을 살 수 있는지를 기준으로 직업과 직장의 가치를 결정하며 평가한다. 그러나 우리가 먼 훗날 하나님의 부르심을 받았을 때 하나님께서는 "너는 너의 직업을 통해 얼마나 많은 돈을 모았느냐? 얼마나 큰 집을 샀느냐?"고 묻지 않으신다. 그 대신 "너는 너의 직업을 통하여 얼마나 많은 사람들에게 봉사를 했느냐?"고 물으실 것이다. 우리는 정말 한 사람에게라도 더 봉사하기 위하여 직업을 선택하는 지혜로운 사람들이 되어야 한다.

1943년 세상을 떠날 때, 백인과 흑인을 망라하여 거의 모든 미국인으로부터 존경을 받은 최초의 흑인인 조지 워싱턴 카버의 이야기는 우리로 하여금 많은 것을 생각하게 한다. 그는 미국 역사상 최고의 농학박사로서, 만약 자기 직업을 자신의 유익을 위한 도구로 사용했다면 그는 필경 백만장자가 되었을 것이다. 그러나 그는 자신의 직업을 타인을 위한 봉사의 도구로 삼은 크리스천이었다.

당시 미국 남부지방은 면화를 재배하고 있었다. 그러나 면화는 땅 속에 있는 질소를 없애 버리므로 금방 땅을 황폐하게 만들어 버린다. 거의 모든 땅이 못쓰게 된 남부 사람들은 생존의 위기에 처하게 되었다. 바로 그 때 조지 워싱턴 카버 박사는, 황폐화된 땅에 땅콩을 심으면 땅콩 재배에도 좋을 뿐 아니라 질소가 회복되어 땅도 비옥해진다는 사실을 발견하였다. 그는 남부 사람들에게 땅콩을 심도록 장려했고, 그의 말대로 땅은 다시 비옥해졌다.

그런데 새로운 문제가 생겼다. 농장마다 산더미처럼 쌓여 있는 땅콩을 처분할 판로가 없었던 것이다. 그 때부터 카버 박사는 자신의 연구실에서 두문불출하며 땅콩의 활용 방안을 연구하기 시작했다. 그 결과 땅콩으로 만든 마가린, 비누, 요리용 기름, 화장품용 기름, 사탕, 버터, 밀가루, 잉크, 물감, 구두약, 연고 그리고 크림 등이 개발되었다. 그는 땅콩으로 무려 300여 가지의 실용품과 식용품을 만들어 내었지만, 단 한 번도 특허를 내거나 로열티를 받은 적이 없었다. 자신의 직업을 통해서, 하나님께서 주신 학문을 통해서, 많은 사람들에게 봉사하는 것으로 만족했던 것이다. 아니, 자신의 직업을 통해 하나님께서 많은 사람들을 구원하심으로 인해 하나님께 감사를 드렸다. 그로 인해 위기에 봉착했던 미국 남부의 경제가 회생하였음을 물론이다. 그는 진정한 성도였고, 그의 직업은 명실공히 성직이었다.

오늘날 우리가 잘 아는 것처럼 유럽의 교회들은 점점 더 비어가고 있다. 예배당 안에는 더 이상 사람이 없다. 그러나 유럽 사회는 우리 나라의 교회보다 더 기독교적이며, 더 질서가 잡혀 있고, 다른 사람을 배려하는 마음으로 유지되고 있다. 어떻게 이것이 가능할 수 있는가? 지난 2000년 동안 자신의 직업을 통해서 자기 유익을 꾀하기보다는 다른 사람들에게 봉사했던 크리스천들이 있었기 때문이다.

오늘날 우리의 현실은 어떠한가? 전 국민의 25퍼센트가 기독교인임에도 불구하고 온갖 부정과 불의가 난무하지 않는가? 그 이유가 무엇인가? 대부분의 크리스천들이 자기 유익만을 위해서 일하고, 자신의 주머니만을 위해 직업을 선택하기 때문이다. 그 결과 모든 직장이 인간의 욕망으로 오염되었고, 오염된 직장이 많아지면 많아질수록 이 사회는 더욱더 허물어지고 부패해 가는 것이다.

사랑하는 청년들이여!

그대가 현재 어떤 직업을 가지고 있든지 간에, 앞으로 어떤 직업을 선택하든지 간에, 자기 자신의 유익을 위해서가 아니라 주님의 영광을 위하여, 한 사람이라도 더 많은 사람들에게 봉사하기 위하여 땀 흘려 일하라. 그 때 이 사회는 하나의 큰 교회로 일구어져 갈 것이다.

참된 삶의 기쁨은 자기 유익을 위해 사는 데 있지 않고, 주님의 영광을 위해서 살며 더 많은 사람들에게 봉사하기 위해 일하는 삶 속에 있다. 왠지 아는가? 주님께서는 우리를 살리시기 위해 십자가에 못박혀 돌아가셨고, 우리는 그분의 제자이기 때문이다.

크리스천과 비전

묵시가 없으면 백성이 방자히 행하거니와 잠 29:18상

잠언 29장 18절 말씀은 묵시가 없으면 백성이 방자히 행한다고 말한다. 여기에서 '묵시'라는 말의 원어의 뜻은 '비전'이다. 즉 비전이 없으면 백성이 방자히 행한다는 것이다. '방자히'란 어려워하거나 삼가는 것 없이 제멋대로 건방지게 구는 태도를 가리킨다. 다르게 표현하면 자제력이나 신중함을 상실한 경거망동을 의미한다. 도대체 비전이 무엇이기에 그것이 없으면 자제력을 잃고 신중함을 상실한 채 경거망동을 일삼게 된다는 것일까?

비전을 문자적으로 해석하면, 인간의 눈으로 볼 수 없는 것을 마음으로 읽고 보는 통찰력 내지는 상상력이라고 할 수 있다. 따라서 비전을 가지고 있는 사람이란, 그의 시선이 목전을 뛰어넘어 더 먼 곳을, 더 먼 시간을 내다보는 사람이다. 눈앞을 뛰어넘어 더 먼 곳을 보는 사람, 더 먼 날을 내다보는 사람은 절대로 현재의 안

일함을 추구하지 않는다. 그는 자신의 시선이 닿아 있는 더 먼 곳, 더 먼 시간에 자기를 맞추기 위해 부단히 노력하는 사람이과.

사람들은 장래성이 있는 사람을 가리켜서 "저 사람은 비전이 있다"고 한다. 이 말은 '분명한 자기 포부를 가지고 있을 뿐 아니라 그 포부를 실천하기 위해 미래를 향해서 자기 자신을 가꾸어 가는 사람'이라는 뜻이다. 말하자면 '하루가 다르게 내일을 향하여 새로워지고 있는 사람'이라는 의미이다. 따라서 비전이 있는 사람은 장래성이 있을 수밖에 없다.

바로 이런 의미에서 비전이 없는 사람은 방자해진다. 비전이 없는 사람이란, 시선이 눈앞에만 국한되어 있는 사람이다. 그는 눈앞의 작은 이득이나 유혹에 대한 집착에서 벗어나지 못하고, 그 유혹이 손짓하면 손짓하는 대로, 욕망이 부르면 부르는 대로, 자신의 마음 내키는 대로 하루하루를 살아간다. 내일도 없고, 미래도 없고, 희망도 없고, 소망도 없다. 그러니 비전을 갖지 않으면 사람은 방자히 행할 수밖에 없고 결국은 망할 수밖에 없다.

비전은 꿈이 아니다. 물론 "꿈을 가지자"고 말할 때의 꿈은 비전을 의미하는 꿈일 수 있다. 그러나 허무맹랑한 이야기를 하는 사람한테 "꿈 깨라"고 말할 때의 꿈은 망상을 의미한다. 비전인 꿈과 망상인 꿈 사이에는 어떤 차이가 있을까? 영국의 수상을 역임한 대처 여사는 그 차이를 명쾌하게 설명하고 있다.

"비전은 실현 가능한 결과를 수반하는데 비해서, 꿈은 꿈으로 끝나 버리는 것이 양자의 차이다."

비전을 갖는 사람의 시선은 먼 곳을 향해 있고 그 먼 곳에 자기를 맞추기 위해 부단한 노력을 수반하기에, 비전이 있는 곳에는 어떤 형태로든지 그 결과가 실현된다. 그러나 망상으로서의 꿈은 책임 있는 행동을 요구하지 않는다. 즐기기만 하면 그만이다. 이때의 꿈은 그야말로 꿈으로 끝난다. 그것은 책임회피와 현실도피를 낳는다.

많은 사람들이 '아메리칸 드림'을 이야기한다. '아메리칸 드림'이란 미국 사회 속에 살고 있는 사람들이 품고 있고 성취하기를 원하는 꿈이다. 그것을 가리켜 '아메리칸 비전'이라고 말하는 사람은 아무도 없다. 왜 그런가? 아메리칸 드림을 꿈꾸는 수많은 사람들 중에서 막상 그 꿈을 이루는 사람은 극소수에 불과하고 나머지 모두는 망상으로 끝나 버리기 때문이다. 바꾸어 말하면 아메리칸 드림을 꿈꾸는 수많은 사람들 가운데 그 꿈을 이루기 위하여 정말 처절하게 애쓰고, 노력하고, 최선을 다하고, 자기의 생명을 거는 사람들은 지극히 드물다는 뜻이다.

대부분의 사람들은 단지 아메리칸 드림을 꿈꾸며 즐기는 것으로 모든 것을 끝내 버린다. 우리 나라 사람들 가운데도 막연히 아메리칸 드림을 좇아 태평양을 건넜다가 패가망신한 사람들이 얼마나 많은지 모른다. 비전이 없으면 사람이 방자히 행한다. 그러나 망상을 좇으면 패가망신을 당한다.

또한 비전은 야망이 아니다. 야망은 자신이 목적으로 하는 것을 위해서 구체적으로 행동한다는 의미에서 분명히 꿈과 구별된다. 그런데 야망을 가진 사람들이 모두 현실에 안주하지 않는다는 점에서는 비전과 야망이 흡사해 보일 수도 있다.

그러나 어떤 경우에도 비전은 야망과 같은 말이 될 수 없다. 비전은 끊임없이 오늘의 현실을 뛰어넘어 미래를 향하여 시선을 두되, 좀더 밝고 긍정적인 방향으로 자기를 계발하는 것이다. 그러므로 비전을 가진 사람들은 절대로 남을 해치지 않으며, 오히려 그 비전이 모두를 유익하게 하는 시발점과 발판이 되어 준다.

그러나 야망은 욕망의 산물이다. 야망을 가진 사람의 시선도 끊임없이 오늘을 뛰어넘어 먼 곳을 보지만, 그 시선이 닿는 곳은 언제나 자신의 욕망이다. 따라서 좀더 밝고 바람직한 방향으로의 자기 계발은 없고, 오직 도구화된 인간의 욕망만이 존재한다. 욕망의 도구가 된 인간은 자신도 죽이고 남도 죽인다. 마치 쇠에서 나온 녹이 쇠 자체를 갉아먹을 뿐 아니라 사람에게도 독이 되는 것과 마찬가지이다.

비전이 없으면 사람이 방자해진다. 망상을 좇으면 패가망신한다. 야망의 노예가 되면 자신도 죽이고 남도 죽이게 된다.

오늘날 문제가 되는 것은 적지 않은 크리스천들이 망상과 비전을 혼동하고 있다는 사실이다. 이보다 더 심각한 문제는 더 많은 크리스천들이 야망과 비전을 동일하게 여기고 있다는 사실이다. 그리고 좀더 큰 문제는 많은 교회가 역사적으로 비전의 미명하에 망상을 좇았고 야망을 추구했다는 사실이다.

교회의 2000년 역사를 돌아볼 때, 천년왕국이니 지상왕국이니 하면서 망상을 좇았던 적이 얼마나 많았는가? 현실적인 책임을 회피한 채 도피케 한 적이 얼마나 많았는가? 그 정도가 얼마나 심했으면 공산주의자들이 "종교는 인민의 아편"이라고 했겠는가? 그것은 절대로 불교나 힌두교를 가리키는 말이 아니었다. 현실의 책임을 회피하고 망상과 몽상을 좇는 교회와 크리스천들을 일컫는 말이었다.

아프리카로 몰려간 백인들은 무차별적으로 땅을 빼앗기 위해 아프리카 흑인들을 죽였다. 그리고 그것도 모자라 그들을 닥치는 대로 잡아 돈을 받고 노예로 팔아 넘겼다. 아메리카 대륙으로 건너간 백인들 역시 그 땅을 강탈하기 위해서 수많은 인디언들을 죽였다.

땅을 무자비하게 강탈하기 위해 아프리카로 간 백인들의 손에도, 아메리카로 간 백인들의 손에도 한결같이 성경이 쥐어져 있었다. 그들은 비전이라는 미명 아래 야망의 노예가 된 자들이었다. 그들은 엄청난 죄를 짓고서도 양심의 가책을 느끼지 않았다. 잘못 추구한 비전과 잘못된 믿음 때문이었다. 그 결과 오늘날 미국과 유럽의 백인 교회는 극소수의 교회를 제외하고는, 거의 생명력을 상실한 채 텅 비어 가고 있다. 오늘날 미국과 유럽의 백인 사회가 심각한 도덕적 위기를 맞고 있는 것은 결코 우연이 아니다.

비전이 없으면 백성이 방자히 행한다. 망상을 좇으면 패가망신을 당한다. 야망의 노예가 되면 자신도 죽이고 남도 죽인다. 우리는 모두 비전을 가져야 한다. 그러나 내가 비전을 가졌다고 확신하는 순간, 내가 가진 비전이야말로 참된 비전이라고 확신하는 그 순간, 그것은 이미 비전이 아닐 수 있다는 사실을 깨닫지 않는다면 우리는 언제나 비전이라는 미명하에 망상과 야망의 노예로 전락하고 말 것이다.

그렇다면 어떻게 참된 비전을 품을 수 있는가? 어떻게 해야 망상도 아니고, 야망도 아닌 비전을 자신의 것으로 삼을 수 있을까? 하나님을 믿는 사람으로서 하나님의 능력을 이용하여 나의 비전을 이루려 한다면 그것은 100퍼센트 망상이요 야망이다. 중요한 것은 '나의 비전'이 아니라, 나를 창조하신 하나님께서 나를 통해 친히 이루시기 원하시는 '하나님의 비전'이다. 우리는 그 하나님의 비전을 나의 비전으로 삼아야 한다. 그것이 가능하기 위해서는 하나님 자체를 우리의 비전으로 삼아야 한다.

우리의 비전은 하나님 그분이다. 그분 이외에는 참된 비전도, 바른 비전도 없다. 하나님을 비전으로 삼는 사람만이 버려야 할 것을 버릴 수 있고 포기해야 할 것을 포기할 수 있기에 야망의 노예가 되지 않을 수 있다. 하나님을 비전으로 삼는 사람은 먼 곳에 시선을 두지만, 지금 자신 앞에 주어진 일 역시 하나님께서 주신 일이라는 것을 믿기에 매일의 삶에 최선을 다하며, 현실을 회피하고 무책임한 피안주의로 회피하려는 망상에 결코 빠지지 않는다. 그는 가장 작아 보이는 일일지라도 그 일을 주신 하나님을 위해 충성을 중단하지 않는다. 그와 같은 과정을 거치는 동안 자기 자신도 모르게, 하나님의 비전이 자신의 삶을 통하여 이루어질 수 있도록 하나님에 의해 훈련된 사람으로 성숙해 간다.

요셉은 비전을 이야기할 때 흔히 거론되는 인물이다. 그가 어린 시절에 형들이 자신에게 절을 하는 꿈을 꾸었다. 한 번도 아니고 두 번씩 꿈을 꾸었는데, 두번째 꿈은 부모님까지도 자신에게 절을 하는 꿈이었다.

흔히 사람들은 요셉이 그런 꿈을 꾼 후에 그 꿈을 비전으로 삼았다고들 한다. 그 결과 그 당시 세계 최대의 제국인 애굽의 국무총리가 되었다는 것이다. 따라서 우리도 요셉처럼 비전을 갖고, 비전을 품고, 그 비전을 이루는 사람들이 되자고 한다. 그러나 정말 요셉이 어릴 때 꾸었던 그 꿈을 자신의 비전으로 삼았던가?

만약 요셉이 그 꿈을 자신의 비전으로 삼았다면, 부잣집 아들로 살다가 어느 날 느닷없이 이집트에 종으로 팔려 갔을 때 그 절망적인 상황을 이기지 못해 자살했거나, 혹은 자신의 꿈을 이루기 위해 끊임없이 이집트의 종살이로부터 탈출하려다가 붙잡혀 곤욕을 치렀거나, 아니면 이집트의 종살이를 하면서 스스로 제1인자가 되는 망상에 빠져 알코올 중독자나 마약 중독자 같은 폐인이 되고 말았을 것이다.

요셉이 어릴 때 꾸었던 꿈을 자신의 비전으로 삼았다는 말은 완전히 비성경적이다. 창세기 42장 9절은, 이집트의 국무총리가 된 요셉이 양식을 구하기 위해 찾아온 형들이 자기 앞에서 절하는 모습을 보고서야 그 옛날 자신이 꾸었던 꿈을 비로소 기억했다고 증거하고 있다.

"요셉이 그들에게 대하여 꾼 꿈을 생각하고 그들에게 이르되……"

요셉은 그 때까지 그 꿈을 기억조차 못했던 것이다.

그렇다면 요셉은 어떻게 느닷없이 이집트의 종으로 전락되는 절망을 딛고 일어서 이집트의 국무총리가 될 수 있었는가? 이유는 단 한 가지이다. 요셉은 자기가 꾼 꿈을 비전으로 삼았던 것이 아니라, 하나님을 자신의 비전으로 삼았기 때문이다. 그래서 그는 이집트의 종으로 팔려 갔을 때에도 그 종살이를 최선을 다해 수행하였다. 자기를 그런 상황 속으로 인도하신 분은 자신의 비전인

하나님이심을 믿었던 것이다.

그가 종살이하던 보디발의 집은 평범한 가정이 아니었다. 그 집 안에 왕의 죄수들, 이를테면 국사범들을 수용하는 왕의 감옥이 있는 대공관이었다. 보디발의 신임을 얻어 그 공관의 모든 살림을 관장하는 종살이를 하면서, 요셉은 자기도 모르게 그 곳에서 재무 관리 훈련을 받았다.

그러던 어느 날 느닷없는 모함에 빠져 감옥에 갇힌 죄수가 되었다. 만약 어릴 때의 꿈을 비전으로 삼았다면 억울해서 어떻게 그 상황을 받아들일 수 있었겠는가? 그러나 하나님을 비전으로 삼았던 요셉은 하나님께서 새로이 주신 옥살이의 삶에도 최선을 다했다. 이윽고 그 감옥의 모든 죄수들을 관리하게 된 요셉은 그 감옥 속에서 자신도 모르게 인사관리와 정치 수업을 받았다. 그 곳에 수감된 죄수들은 모두 왕의 죄수들, 즉 정치범들이었기 때문이다.

이집트로 팔려 간 지 13년 만에 요셉은 마침내 이집트의 국무총리가 되었다. 요셉은 국무총리가 되기 1초 전까지도 자신이 이집트의 국무총리가 될 것이라는 비전을 결코 가진 적이 없었다. 만약 종으로 팔려 간 요셉이, 감옥에 죄수로 갇힌 요셉이 이집트의 국무총리가 되겠다는 비전을 지니고 살았더라면, 미치광이 취급을 받거나 진짜 국무총리의 칼에 목숨을 잃었을지도 모른다. 그러나 그는 하나님만을 비전으로 삼았고, 하나님께서는 친히 요셉으로 하여금 재무·인사·정치 수업의 과정을 거치게 하심으로, 요셉을 통해 뭇 백성을 기근에서 구해 내시려는 하나님의 비전을 온전히 이루실 수 있었다.

흔히 잘못 생각하듯이, 요셉은 꿈 한 번 잘 꾼 덕분에 요행히 이집트의 국무총리가 된 것이 절대로 아니다. 그가 자신의 비전으로 삼았던 하나님께서 친히 요셉을 훈련시켜 주신 결과였다. 다시 말해, 당시 국무총리가 될 수 있는 자격을 갖춘 자는 이집트 내에서 요셉 외엔 아무도 없었다.

하나님을 비전으로 삼은 사람들에게는 인간의 실패나 성공이 아무런 의미가 없다. 하나님을 비전으로 삼은 사람에게는 오직 하나님의 성공만이 있을 뿐이다.

하나님을 비전으로 삼았던 사도 바울의 삶을 보라. 사도 바울은 일평생 주를 위해서 헌신하였지만, 그의 최후는 쇠사슬에 묶인 채 목 베어 죽임을 당하는 것이었다. 그 당시의 관점으로 볼 때 사도 바울은 처참한 실패자일 수밖에 없었다. 그러나 그는 정말 실패자였는가? 아니다. 그는 자신의 실패와 성공을 초월해서 하나님의 비전을 이룬 위대한 사람이었다.

80세에 부름을 받은 모세는 40년 동안 하나님의 명령에 순종했다. 모세는 출애굽에서부터 시작하여 요단강 언저리까지 이스라엘 백성들을 인도했다. 그런데 자신이 그토록 열망했던 가나안 땅에는 들어가 보지도 못했다. 가나안 땅에 들어간 수많은 사람들의 관점에서 보면 모세는 정녕 헛수고한 실패자일 수 있다. 그러나 그는 정말 실패자였는가? 아니다. 그는 자신의 실패와 성공을 뛰어 넘어 영원한 하나님의 비전을 성취한 사람이 되었다.

비전이 없으면 백성이 방자히 행한다. 망상을 좇으면 패가망신한다. 야망의 노예가 되면 자신도 죽이고 남도 죽인다. 망상과 야망을 비전으로 착각하면 반드시 후회하게 된다.

우리는 오직 하나님을 자신의 비전으로 삼아야 한다. 그 때에만 우리의 성공과 실패를 초월하여, 우리를 통해 이루기 원하시는 하나님의 비전이 이 땅에 펼쳐질 수 있다. 천지를 창조하신 하나님께서, 우리 각자를 통해 친히 이루기 원하시는 당신의 비전을 가지고 계신다는 것은 얼마나 가슴 설레는 일인가!

크리스천과 신앙

다만 하늘에 계신 내 아버지의 뜻대로 행하는 자라야 들어가리라 마 7:21하

　무당을 찾아간 사람이 두 손을 비비면서 기도하는 모습을 보라. 크리스천들이 하나님께 기도하는 모습보다 훨씬 더 경건하다. 굿을 잘 하기 위해 용한 무당에게 희사하는 금액을 한번 알아 보라. 크리스천들이 하나님께 바치는 금액보다 훨씬 더 많다. 사람들이 용한 무당에게 받은 부적을 얼마나 소중하게 간직하는지 한번 관찰해 보라. 크리스천들이 하나님의 말씀인 성경책을 소중히 여기는 것보다 훨씬 더 귀하게 다룬다. 그렇지만 그들을 가리켜 이 세상 누구도 신앙인이라 부르지 않고, 미신을 좇는 자라 말한다. 그렇다면 도대체 미신과 신앙의 차이는 무엇인가?

　미신은 인간이 자기에게 있는 돈이나 능력 혹은 재주로 신의 마음을 달래고 얼러서 자신의 목적을 성취하려는 것이다. 이런 경우 '자기 자신'은 결코 변하지 않는다. 즉 자기 자신은 그대로 있으

면서 재주껏 신의 마음을 돌이키려는 것이 바로 미신의 특징이다. 이에 비해 참신앙은 하나님을 변화시키려는 것이 아니라, 절대적인 그분의 말씀 앞에서 자기 자신이 늘 변화되어 가는 것을 의미한다. 따라서 하나님을 믿느냐 믿지 않느냐도 중요하지만, 어떤 믿음을 가지고 있느냐는 더 중요하다. 자기 변화를 수반하지 않는 믿음이란 미신에 지나지 않기 때문이다.

마태복음 7장 21절에서 23절에는, 그리스도의 이름으로 선지자 노릇을 하고 귀신도 쫓아내며 많은 권능도 행한 사람들이 나온다. 요즘 말로 하면 은사가 대단한 사람들이다. 그런데 주님께서는 그들에게 "도무지 알지 못한다"고 하시면서, "불법을 행하는 자들아 내게서 떠나가라"고 단호하게 말씀하셨다. 그 이유가 무엇이었겠는가?

그들이 주님을 부르고 주님의 이름으로 능력은 행했지만, 그들 자신은 변화되려 하지 않았기 때문이다. 그래서 주님께서는 "하나님의 뜻대로 행하는 자라야 하나님 나라에 들어갈 수 있다"고 말씀하셨다. 여기서 하나님의 뜻대로 행하는 자란, 하나님의 말씀 앞에서 그 삶이 날로 변화되어 가는 참신앙의 사람일 수밖에 없다. 그러지 않고서는 그가 하나님의 뜻을 행할 수 있을 리가 만무하다.

현재 우리 나라에 있는 천만 명 이상의 크리스천들이 세상 사람들로부터 비난받고 있다면, 먼저 나 자신의 신앙부터 다시 점검해 보아야 한다. 하나님 앞에서 나 자신이 날마다 변화되어 가는 참된 신앙의 소유자이기보다는, 하나님을 달래고 얼러 나의 목적만을 성취하려는 미신적 신앙을 갖고 있는 것은 아닌지 성찰해 보아야 한다. 만약 우리가 한평생 하나님을 나름대로 믿었음에도 불구하고, 마지막 날 하나님으로부터 "너는 나를 믿은 것이 아니기에 나는 너를 알지 못한다"고 부인당한다면 그보다 더 허망한 일이 어디에 있겠는가? 그렇기에 하나님을 믿는다면, 우리는 더 이상 미신이 아닌 참된 신앙을 가져야 한다.

참된 신앙의 소유자가 되기 위해서는 반드시 마음 속에 새겨야 할 세 가지 사항이 있다.

그것은 첫째, 이 세상에 태어난 모든 인간은 반드시 죽는다는 사실이다.

이 세상에 사는 사람이라면 누구에게나 반드시 적용되는 세 가지 공통점이 있다. 사람은 반드시 죽는다는 것과, 태어날 때는 순서가 있지만 죽을 때는 순서가 없다는 것, 그리고 모든 사람들이 자기만은 죽음에서 예외일 것이라고 착각하며 산다는 것이다.

각자 수첩을 한번 펴 보라. 이번 주에 무슨 약속들이 있는가? 그 약속을 한 시점이 일주일 전이든지 혹은 한달 전이든지 간에, 앞날에 대한 약속을 과거에 했다는 것은 적어도 그 약속의 날까지는 죽지 않으리란 '착각' 속에 있음을 의미한다. 그러나 분명한 사실은 지금 이 순간에도 죽는 사람은 있고, 그 중에는 노인뿐 아니라 청년과 어린아이들도 있다는 사실이다.

피라미드를 쌓은 이집트의 파라오들은, 그 피라미드 속에 누워 있으면 죽음을 이길 것이라고 생각했다. 그런데 지금 파라오의 시체는 어디에 있는가? 피라미드는 도굴당하고 그들은 대영 박물관이나 루브르 박물관에 미라로 누워 있다. 그들이 피라미드를 쌓아서 만들 때, 수천 년 후에 사람들이 자신의 묘실까지 들어와서 짓밟으리라고 생각이나 했겠는가?

1994년 내가 피라미드를 찾았을 때, 파라오의 시체는 간 곳 없고 묘실 벽엔 다음과 같은 글씨가 붉은 페인트로 쓰여 있었다.

'1818년 3월 2일 베르사니.'

지금으로부터 180년 전에 그 피라미드 속 묘실을 발견했던 사람의 이름이었다. 그 엄청난 피라미드를 정복하고 얼마나 기뻤으면 자기 이름을 그 곳에다 써 두었겠는가? 중요한 사실은 그 베르사니 역시 이미 죽고 없다는 것이다.

나는 해외 여행을 하면서 기회가 있을 때마다 꼭 그 나라 공동묘지를 찾아보곤 한다. 공동묘지에 가 보면 그 나라 사람들의 생사관(生死觀)을 알 수 있기 때문이다.

과거로 거슬러 올라갈수록 묘지가 화려하다는 것은 모든 나라의 공통점이다. 또 가톨릭 국가일수록 묘지가 웅장하다. 그러나 묘지가 웅장하든 초라하든, 묘지엔 죽음 이상은 아무것도 없다. 어느 묘지에나 그 속에는 썩어 가는 시체나, 이미 다 썩어져 버리고 흙만이 있을 뿐이다.

샌프란시스코 공동묘지에 가면 조세프라는 사람의 묘비에 이런 글이 적혀 있다고 한다.

"I expected this, but not so soon."

이렇게 죽을 줄은 알았지만 이처럼 빨리 죽을 줄은 몰랐다는 뜻이다. 그러므로 자신이 오늘 밤이라도 죽을 수 있다는 사실을 바르게 인식할 때에야 비로소 미신에서 벗어나 생명의 근원이신 하나님을 인격적으로 만날 수 있으며, 그분의 말씀 앞에서 진정으로 변화되는 크리스천이 될 수 있다.

둘째, 크리스천이란 예수 그리스도 안에서 이미 영원한 생명을 얻은 자를 의미한다는 사실을 잊지 말아야 한다.

마태복음 22장 31절에서 32절을 통해 주님께서 다음과 같이 말씀하셨다.

"하나님이 너희에게 말씀하신 바, 나는 아브라함의 하나님이요 이삭의 하나님이요 야곱의 하나님이로라 하신 것을 읽어 보지 못하였느냐? 하나님은 죽은 자의 하나님이 아니요, 산 자의 하나님이시니라."

하나님께서는 이스라엘 백성에게 당신을 계시하시면서 "나는 아브라함의 하나님, 이삭의 하나님, 야곱의 하나님"이라고 말씀하셨다. 이스라엘 백성들은 하나님께서 가르쳐 주신 대로 하나님을 부르면서도, 하나님께서 왜 당신의 호칭을 그렇게 가르쳐 주셨는지 그 이유를 알지 못했다. 그런데 주님께서 그 이유에 대해 설명하시기를, 하나님께서 죽은 자의 하나님이 아니라 산 자의 하나님이시기 때문이라는 것이다. 무슨 뜻인가?

주님께서 이 땅에 오시기 오래 전에 아브라함과 이삭과 야곱은 벌써 죽었다. 그들의 시체는 흙이 된 지 이미 오래였다. 그것으로 모든 것이 다 끝나 버렸다면 하나님은 죽은 자의 하나님일 수밖에 없다. 하나님을 믿어도 죽는 것은 매한가지이니 말이다. 그러나 하나님은 죽은 자의 하나님이 아니라 산 자의 하나님이시기 때문에 당신을 아브라함의 하나님, 이삭의 하나님, 야곱의 하나님으로 부르도록 하셨다. 아브라함과 이삭과 야곱의 육체는 죽어 흙이 되었으나, 그들은 여전히 살아 있다는 뜻이다. 그들의 영혼이 하나님의 품 속에서 하나님과 더불어 영원한 생명을 누리고 있다는 말이다. 그래서 하나님은 죽은 자의 하나님이 아니라 산 자의 하나님이시라는 것이다.

주님이 말씀하신 비유 중에 거지 나사로와 부자의 비유가 있다. 나사로는 죽어서 천국에 갔고, 부자는 죽어서 지옥에 갔다. 지옥에 간 부자가 천국을 보았을 때, 자기 집 문 앞에 있던 거지는 아브라함의 품에 안겨 있었다. 즉 아브라함의 육체는 죽었지만 영혼은 하나님 나라에서 살아 있었던 것이다.

모세는 예수님이 오시기 1500년 전에 죽었다. 그의 육체는 흙으로 돌아갔다. 그런데 예수님이 변화산에 올라가셨을 때 모세와 엘리야가 하늘로부터 내려왔다. 모세의 육체는 죽었지만 그의 영혼은 하나님 나라에 그대로 살아 있었다.

주님께서는 십자가에 못박혀 돌아가시면서 한 강도에게 "오늘 네가 나와 함께 낙원에 있으리라"고 말씀하셨다. 이것은 썩어 버릴 육체를 가리켜 하신 말씀이 아님을 우리는 익히 알고 있다. 그 강도의 육체는 십자가에서 못박혀 죽어 공동묘지에 버려졌지만, 그 영혼만은 주님과 더불어 영원한 생명을 누린다는 것이다.

그렇다면 몇 해 전 파문을 일으켰던 모 신학교 교수처럼 이런 질문을 던질 수 있다. '사람이 죽어 그 영혼이 영원한 생명을 얻는다면, 왜 크리스천들은 구태여 육체가 부활하리라는 욕심을 내는가? 왜 영의 부활만으로 만족하지 못하는가?'

그 신학교 교수는 부활의 의미를 잘 알지 못했다. 부활은 회복을 의미한다. 죽음에서 생명으로의 회복, 죄의 상태에서 의의 상태로의 회복, 즉 창조로의 회복을 의미한다.

하나님께서 인간을 창조하셨을 때, 인간의 육체는 죽는 육체가 아니었다. 그러나 죄로 인해 사람의 육체는 죽게 되었다. 그렇기에 영혼만 살아서는 완전한 구원이 될 수가 없다. 하나님이 정하신 마지막 때에 우리의 몸마저 부활함으로 완전한 구원이 완성되는 것이다. 이 때 몸의 부활이라 함은, 시시각각 죽음을 향해 달려가는, 지금 우리가 지니고 있는 것과 같은 유한한 육체로의 부활을 뜻하지 않는다. 그것은 의미 없는 되풀이에 지나지 않는다. 몸의 부활이라 함은 에덴 동산에서 아담과 하와에게 주셨던, 쇠하지도 않고 늙지도 않는, 범죄 이전의 영원한 육체로의 회복을 의미한다. 그러나 그 영원한 몸의 부활 역시 이미 우리에게 영원한 생명이 주어졌기 때문에 가능하다는 사실이 중요하다.

이처럼 예수 그리스도 안에서 이미 영원한 생명을 얻었음을 스스로 확신하는 자만이, 영원하신 하나님의 말씀을 목적으로 삼아 영원한 것을 추구하면서 살아갈 수 있다. 매일 학교를 다녀도 자신이 학생이라는 자기 정체성을 인식하지 못하는 학생은 공부를 하지 않는다. 심지어 부모가 매를 들어도 안 된다. 자신이 학생임을 자각하는 학생만 자발적으로 공부할 수 있다.

이와 마찬가지로 크리스천 역시, 자신이 이미 영원한 생명을 소유하고 있음을 아는 자만이 영원한 것을 추구할 수 있다. 이 사실을 알지 못할 때 사람들은 영원한 것이 아니라 '거대한 것'을 추구하는 오류를 범한다. 거대한 것을 추구하는 사람은 절대로 참된 신앙을 가질 수가 없다. 거대한 것을 목적으로 삼는 순간부터 수단과 방법을 가리지 않는 것이 인간의 본성이기 때문이다.

세계 지도를 펴 놓고 중동을 자세히 보라. 이스라엘은 새끼손톱보다도 더 작은 나라이다. 면적을 통틀어도 경상남북도를 합친 넓이 정도밖에 되지 않는 작은 나라다. 그 작은 나라 주위에는 역사적으로 언제나 최강대국들, 이를테면 이집트 제국, 바벨론 제국, 앗수르 제국, 페르시아 제국, 헬라 제국, 로마 제국 등이 자리잡고 있었다. 그러나 그 거대한 제국들은 역사의 무대에서 다 사라져 더 이상 지구상에 존재하지도 않는다.

반면에 지극히 작고 작은 이스라엘, 2500년 전 망하여 다시는 회복될 수 없을 것 같던 그 이스라엘은 지금도 바로 그 자리에 건재하다. 거대한 것이 아니라 영원한 것을 추구할 때 영원하신 하나님께서 영원한 가치로 함께하심을, 세계 지도는 오늘도 웅변하고 있는 것이다.

크리스천이라면 누구나 사도 바울을 존경할 것이며, 사도 베드로를 사랑할 것이다. 그들은 돈이나 권력과는 거리가 먼 사람들이었다. 쇠사슬에 묶여 로마의 감옥에 갇혔다가, 한 사람은 처참하게 참수당하고 또 한 사람은 십자가에 거꾸로 못박혀 죽었다. 그보다 더 처참한 인생도 찾아보기 어려울 것이다. 그러나 지금 우리는 그 당시 거대한 것을 추구하던 부자나 원로원 의원의 이름은 모르지만, 바울과 베드로는 이름을 아는 정도가 아니라 우리의 진심을 다해 존경하고 사랑한다. 그들은 지금도 역사 속에, 우리 가운데 살아 있다. 그들은 거대한 것이 아니라 영원한 것을 추구하면서, 영원하신 하나님의 말씀을 목적으로 살았기 때문이다.

마지막으로, 참된 신앙의 소유자가 되기 위해서는 어느 곳에 있든지 바로 그 곳에서 하나님께서 나와 함께 계신다는 사실을 믿어야 한다.

시편 139편 7절에서 10절은 다음과 같이 노래하고 있다.

"내가 주의 신을 떠나 어디로 가며 주의 앞에서 어디로 피하리이까? 내가 하늘에 올라갈지라도 거기 계시며 음부에 내 자리를 펼지라도 거기 계시니이다. 내가 새벽 날개를 치며 바다 끝에 가서 거할지라도 곧 거기서도 주의 손이 나를 인도하시며 주의 오른손이 나를 붙드시리이다."

이 세상 어디를 가든 하나님께서는 나와 함께하고 계신다는 다윗의 고백이다. 역시 위대한 신앙인다운 고백이다.

또 이사야서 52장 12절은 이렇게 증거하고 있다.

"여호와께서 너희 앞에 행하시며 이스라엘의 하나님이 너희 뒤에 호위하시리니, 너희가 황급히 나오지 아니하며 도망하여 행하지 아니하리라."

하나님께서는 지금 내 앞에도 계시고 내 뒤에도 계시다는 말이다. 즉 나를 둘러싸고 계시다는 것이다. 어떻게 이것이 가능할 수 있는가? 어떻게 '나'와 함께 계시는 동시에 '너'와도 함께 계실 수 있는가?

빛을 생각하면 간단하게 해답을 얻을 수 있다. 먼저 불이 환하게 켜진 방을 생각해 보자. 그 방 안에 한 사람이 들어갔다면, 그 사람 앞에도 빛이 있고, 옆에도 빛이 있고, 뒤에도 빛이 있다. 그리고 그 방 안에 세 사람이 들어간다고 해도 빛은 세 사람 모두의 앞에도, 옆에도, 뒤에도 있다. 그러나 그 방을 벗어나면 그 빛은 더 이상 사람을 따라가지 못한다.

이번에는 태양을 생각해 보자. 한 사람 앞에도, 옆에도, 뒤에도 태양은 있다. 10억의 인구가 있어도 태양은 다 그들과 함께한다. 내가 서울에서 기차를 타고 부산으로 가도 태양은 거기에 있고, 반대로 내가 부산에서 서울로 가도 태양은 거기에 있다. 그러나 만약 내가 땅 속으로 들어간다면 태양은 나를 따라 들어오지 못한다. 그리고 밤이 되면 태양은 내게서 떠난다. 태양은 이처럼 시간과 공간의 지배를 받는다. 그러나 하나님은 영이시기에 시간과 공간을 초월하여 사람들과 언제 어디서나 함께하신다.

이처럼 하나님께서 언제나 나와 함께하심을 깨달아야 주어지는 모든 상황에 비로소 순종하는 사람이 될 수 있다. 하나님은 항상 우리와 함께 계시지만, 우리에게는 스스로 예기치 못한 상황이 언제든 벌어질 수 있다. 그러나 그런 상황을 주신 분은 나와 함께하시는 하나님이심을 믿기에, 그 상황 속에서 그분이 이루기 원하시는 뜻을 행하는 믿음의 용장이 될 수 있는 것이다.

다윗은 시편 34편 10절에서 이렇게 고백했다.

"젊은 사자는 궁핍하여 주릴지라도 여호와를 찾는 자는 모든 좋은 것에 부족함이 없으리로다."

이것은 다윗이 왕위에 있을 때 행한 고백이 아니다. 사울의 칼날을 피해 이웃나라 아비멜렉을 찾아가, 단지 살기 위해 침을 질질 흘리며 미친 사람 시늉을 할 때의 고백이다. 하나님께서 자신과 함께하심에도 그런 상황이 벌어졌다면 그것은 하나님께서 자기를 버리심이 아니라, 그 같은 상황 속에서 더 굳건한 신앙의 용장으로 세워 주시기 위함임을 확신했기 때문이다. 그리고 그 모든 훈련이 끝났을 때, 사울 왕과는 피 한 방울 섞이지 않았음에도 불구하고 하나님께서는 그를 이스라엘의 왕으로 세우셨다.

사랑하는 젊은이들이여!

사람이 죽을 땐 못다 이룬 업적이나 실적을 두고 후회하는 것이 아니라, 바르게 살지 못했음을 후회한다는 사실을 잊지 말라. 나는 그 동안 많은 사람의 임종을 보았다. 그러나 "그 때 내가 조금만 더 투자를 했더라면 몇 억을 더 벌 수 있었을 텐데"라거나, "그 때 조금만 더 로비를 했더라면 더 높은 직책까지 올라갔을 텐데"라고 후회하는 사람은 단 한 번도 보지 못했다. 죽음을 눈앞에 둔 사람들은 한결같이 사랑해야 할 사람을 사랑하지 못했던 일이나, 정직해야 할 때 정직하지 못했던 것을 후회했다. 이 세상을 떠나는 그 순간에는, 누구나 본능적으로 하나님 앞에 서야 한다는 사실을 다 알고 있기 때문이다.

하나님께서는 우리를 사랑하셔서 불러 주셨고, 그분을 알며 믿을 수 있는 은총을 허락해 주셨다. 어떤 경우에도 미신과 신앙을 혼동하는 어리석은 자가 되지 말라. 일평생 참신앙의 소유자가 되라. 그 때 그대들은 이 세상에서 크리스천으로 멋지게 살다가, 호흡이 끝나는 날 멋지게 하나님 앞에 설 수 있을 것이다. 아무 후회도 없이 말이다.

크리스천과 물질

시날 산의 아름다운 외투 한 벌과 은 이백 세겔과
오십 세겔 중의 금덩이 하나를 보고 탐내어 취하였나이다 수 7:21상

대학을 졸업하고 사회생활을 시작한 지 4년째 되던 해, 그러니까 1974년이었다. 나는 사업상 독립할 수 있는 기회를 얻게 되었다. 세상 어느 곳에나 경쟁자가 없는 곳은 없지만, 내가 하려 했던 사업의 경쟁자는 재벌기업 하나와 대기업 둘이었다. 나는 혼자였기에 그야말로 그들과는 경쟁 상대조차 될 수 없는 상황이었다. 나는 하나님께 이렇게 기도드렸다.

"하나님, 저는 가진 게 아무것도 없습니다. 오직 하나님만이 제 백그라운드가 되십니다. 하나님께서 이 사업을 할 수 있게만 해 주신다면, 제가 버는 돈으로 평생 하나님의 영광을 드러내면서 살겠습니다."

우리 하나님은 살아 계시고 신실하신 분이시기에 나처럼 미약한 사람의 기도를 들어 주셔서, 그 사업을 할 수 있는 권리를 내게

주셨다. 그리고 나는 수년 동안 참으로 많은 돈을 벌었다. 모든 경비를 다 제하고 하루에 1,200만원을 버는 날도 있었다. 1977년 당시 40평짜리 반포아파트 한 채 값이 800만원이었으니, 하루에 1,200만원은 그야말로 대단한 수입이었다.

그런데 하나님께서는 그처럼 나의 기도를 들어 주셨지만 나는 하나님과의 약속을 지키지 않았다. 그 많은 돈으로 서울에서 가장 크고 좋은 아파트를 사고 외제 고급 승용차를 굴렸다. 낮에는 골프장에서 살고, 밤에는 술독에 빠져 있었다. 그 때야말로 지난 나의 인생 여정 중에서 가장 부끄럽고 가장 수치스럽게 살던 시기였다.

물론 그 때도 나는 크리스천이었다. 매주일 철저하게 교회에 출석함은 물론이요, 성가대원과 교사로 봉사도 열심히 했다. 그런데도 왜 주중에는 돈과 더불어 그처럼 타락에 빠져 있었을까? 왜 인생의 가장 귀한 황금기를 그다지도 허망하게 탕진해 버렸을까? 이유는 한 가지다. 크리스천으로서 바른 물질관을 갖고 있지 못했기 때문이다.

많은 사람들이 오늘도 돈을 벌기 위해 새벽부터 밤늦게까지 신발이 닳도록 뛰어다닌다. 그렇지만 그들 중에 바른 물질관을 먼저 정립하려는 사람은 대단히 드물다. 바른 물질관을 갖고 있지 않으면, 물질은 많아지면 많아질수록 그 사람을 더욱 크게 해치는 독약이 된다. 아무리 열심히 교회를 다닌다 해도 마찬가지다.

세계 최대 화학 재벌인 듀퐁사의 상속자가 자기 집에서 살인을 저지른 뒤, 출동한 경찰과 이틀 동안이나 대치하다가 끝내 체포된 일이 있었다. 그는 알코올 중독에 마약 중독자였고 성격 파탄자였다. 그는 백만 평이 넘는 대지 위에 약 50동의 집을 지어 놓고 살았으며, 그 안에 국제 규격을 갖춘 수영장과 사격장까지 갖추고 있었다. 그러나 그는 아방궁보다 더 큰 자기 집 안에서 자신의 물질과 함께 파멸하고 말았다.

그렇다면 물질이라는 것은 백해무익한 것일까? 물질의 총체인 돈은 그 자체가 악이니 쳐다보지도 말아야 할까?

물질이나 돈도 하나님께서 사람에게 맡겨 주신 것이기에, 그것 자체가 나쁜 것은 결코 아니다. 그렇다면 물질과 관련해서 문제가 되는 것은 무엇인가?

디모데전서 6장 10절은 이렇게 증거하고 있다.

"돈을 사랑함이 일만 악의 뿌리가 되나니, 이것을 사모하는 자들이 미혹을 받아 믿음에서 떠나 많은 근심으로써 자기를 찔렀도다."

돈 그 자체가 악이 아니라 돈을 하나님보다 더 사랑하거나, 우상으로 섬기거나, 하나님보다 더 신뢰하는 것이 악이라는 말이다. 물질과 돈은 그야말로 비인격적인 것에 불과하다. 그런데 비인격적인 물질을 우상으로 삼는 사람은 물질의 지배를 받게 되고, 그렇게 물질의 지배를 받는 사람은 결국 자신의 인격과 인간성을 상실함과 동시에 가치 기준의 혼돈을 겪게 된다.

여호수아 7장에는 이스라엘 백성들이 쉽게 이기리라고 생각했던 아이 성 전투에서 의외로 참패한 이야기가 나온다. 그 원인을 알아 보니, 여리고 성 함락 당시 아간이라는 사람이 하나님의 명령을 어기고 물질을 탈취하여 숨긴 사실이 있었다. 그가 도적질한 것은 외투 한 벌, 은 200세겔, 50세겔 중의 금덩이였다. 아간은 하나님보다 그 물질을 더 사랑하고 신뢰했기에 하나님의 명령을 어겼던 것이다.

아간은 땅을 판 뒤에 제일 깊은 곳에 은금을 넣고, 그 위에 외투를 덮고 다시 흙으로 메꾸었다. 아간은 자신이 보기에 가장 가치가 있다고 생각되는 물질을 땅 속 가장 깊은 곳에 숨기면서 아무도 모르리라고 생각했다. 그가 물질을 숨긴 땅 속이란 실은, 물질을 우상으로 섬기는 그의 마음을 나타내고 있다. 즉 그는 마음 속 가장 깊은 곳에 물질이라는 우상을 아무도 몰래 숨기고 다녔던 것이다.

누군가가 하나님의 명령을 어기고 물질을 탈취했다는 사실을 안 여호수아는, 그 사람을 찾아 내기 위하여 이스라엘의 관습에 따라 백성들에게 제비를 뽑도록 했다. 먼저 열두 지파의 대표를 불러 제비를 뽑게 하고, 뽑힌 지파의 족장들을 모아 다시 제비를 뽑고, 뽑힌 족장의 가장들을 모아 제비를 뽑고, 뽑힌 그 가장의 가족 중에서 제비를 뽑아 마침내 아간을 찾아 냈다.

이 때 남자 장정의 숫자만 무려 60만 명이었다. 그렇다면 이 제비뽑기가 끝나기까지는 많은 시간이 소요되었을 것이다. 그러나 제비를 통해 하나님의 심판이 시시각각 자신을 향해 다가오고 있는데도, 아간은 끝내 자진하여 회개치 않고 끝까지 시치미를 떼고 있었다. 왜 그랬을까? 마음 속 깊은 곳에 비인격적인 물질을 우상으로 모시고 있었기에, 그의 영혼 속에 하나님의 말씀이 깃들 공간이 전혀 없었던 것이다.

마침내 아간은 아골 골짜기에서 돌에 맞아 죽었다. '아골'의 뜻은 '괴로움'이다. 비인격적인 물질을 섬기면 순간적인 만족은 있을지 모르지만, 결국엔 모든 것이 참혹한 괴로움으로 끝나고 만다. 비인격은 참된 생명도, 기쁨도 담을 수 없는 까닭이다.

디모데후서 3장 1절에서 2절은 말세의 징후를 이렇게 밝히고 있다.

"네가 이것을 알라. 말세에 고통하는 때가 이르리니 사람들은 자기를 사랑하며 돈을 사랑하며 자긍하며 교만하며 훼방하며 부모를 거역하며 감사치 아니하며 거룩하지 아니하며."

말세의 첫번째 징후는 사람이 이기적으로 변한다는 것이며, 그 다음은 돈을 사랑한다는 것, 다시 말해 돈을 우상으로 섬기게 된다는 것이다.

지금 세계의 모습을 한번 살펴보자. 이데올로기 전쟁이 끝난 현재, 나라마다 경제 전쟁이 벌어지고 있다. 심지어 국가 원수도 소위 세일즈 외교를 위해 동분서주하고 있는 상황이다. 경제 제일주의 앞에서 어떤 원칙도 체면도 다 없어지고 말았다. 정말 사람들이 하나님보다 돈을 더 신뢰하는 세상이 되었다. 이로 인해 얼마나 많은 사람들이 괴로운 삶을 사는지 모른다.

모 언론기관에서 국장으로 일하던 사람이 몇 해 전에 갑자기 사직서를 제출하고 외국으로 이민을 떠났다. 남들이 다 부러워하는, 명예와 상당한 부가 보장되는 직장을 그는 하루 아침에 버리고 이민 길에 오른 것이다. 그것은 주변 사람들이 선뜻 이해하기 힘든 결정이었다. 그는 그 이유를 이렇게 설명하고 있다.

"저는 학교를 졸업하고 이 언론기관에 입사하여 제 상사가 정해 주는 목표를 향해 밤이고 낮이고 뛰었습니다. 그 결과 명예도 얻고 돈도 모았습니다. 그러나 나이 오십이 지난 지금 '내 인생이 도대체 어디에 있는가?' 라는 질문 앞에 할 말이 없더군요. 그래서 제 인생을 되찾기 위해 사직서를 제출했습니다. 저는 이제 새로운 세계를 향해 나아갈 것입니다."

그는 자신의 삶이 실종되었음을 오십이 넘어 깨달았지만 그것도 늦은 것은 아니다. 바른 물질관을 갖지 못하고 오직 물질을 우상으로 섬기느라 자신의 귀한 인생을 다 탕진하고서도, 야간처럼 하나님 앞에 서서야 자신의 잘못된 삶을 깨닫고 후회한다면 그보다 더 어리석은 사람이 어디에 있겠는가? 그에게 돌아갈 것이라곤 아골—괴롬 외에 또 무엇이 있겠는가?

그러므로 우리는 물질을 소유하려 하기 이전에 물질에 대한 바른 생각을 정립해야 한다. 그러기 위해서는 다음과 같은 네 가지 사항을 마음 속에 새겨야 한다.

첫째, 모든 물질의 주인은 하나님이시라는 사실이다.

모름지기 인간은 모든 물질이 하나님의 것이라는 청지기 의식을 지니고 있어야 한다. 청지기 의식이 있어야 물질을 바르게 모을 수 있고, 바르게 사용할 수가 있다. 청지기 의식을 지닌 자는 불의한 방법으로 물질을 모으지 않으며, 타락과 방종을 위하여 탕진하지도 않는다.

다윗은 자신에게 있는 모든 것이 하나님께로부터 왔다고 고백했다. 그래서 그는 일평생 물질을 바르게 얻고 바르게 쓰는 삶을 살았다. 하나님께 십일조를 바치는 것은 십분의 일만 하나님 것이고 나머지는 내 것이라는 뜻이 아니다. 자신에게 주어진 모든 물질이 하나님 것이라는 청지기의 고백으로, 그 고백의 증표로 십분의 일을 구별하여 하나님께 드리는 것이다. 그렇기에 나머지 십분의 구를 자신의 정욕과 욕망을 위하여 함부로 쓸 수 없다. 그 주인역시 하나님이시기 때문이다.

둘째, 사람에게 주어진 모든 물질은 반드시 생산적인 도구로 사용되어야 한다. 물질이 생산적인 도구로 사용되는 한 그 물질은사람을 타락시키지 않는다.

기업가가 열심히 일하고 노력해서 고용을 증대시킨다면 참으로아름다운 일이다. 한 개인이 많은 물질을 모아서 구제를 베푼다면그것도 참으로 아름다운 일이다. 물질이 언제나 생산적인 도구로사용되어야 함을 깨닫는다면 절대로 물질을 투기의 대상으로 삼지 않을 것이다. 도박이 죄인 까닭은, 밤새도록 카드나 화투짝을아무리 돌려도 거기에는 생산이 전혀 없고 오직 소모만 있기 때문이다.

정말 사람이 배고파서 밥을 먹을 때는 그것이 사람의 건강을 해치지 않는다. 그러나 뱃속이 가득 차 있는데도 필요 이상으로 먹으면 병이 들게 되어 있다.

정말 생산적인 일을 위해서 필요한 돈을 축적하는 것은 사람을해치지 않는다. 그러나 돈 그 자체를 목적으로 돈을 축적하기 시작할 때 만악(萬惡)은 거기에서부터 비롯된다.

공중에 날아가는 새를 먹이시듯이, 들에 피어 있는 풀을 입히시듯이, 정말 생산적인 도구로서 돈이 필요할 때 하나님께서 당신의방법으로 책임져 주신다는 것이 그분의 약속이다. 정말 바른 생산을 위하여 돈이 필요할 때 하나님께서는 신비로운 방법으로 우리의 일을 책임져 주신다. 이것은 내가 평생 경험한 일이다. 아무리 노력해도 자신에게 원하는 돈이 오지 않는다면, 자신이 바른 목적으로 돈을 구하지 않았기 때문일 수 있음을 인정해야 한다.

정말 바른 목직으로 바르게 써야 할 필요가 있을 때 하나님의 방법으로 돈이 주어진다는 것을 믿는다면, 자신의 주머니에 있는 돈이 다른 사람에게 흘러 들어갈 수도 있음을 또한 알아야 한다. 내 주머니에 있는 모든 돈의 주인은 하나님이시므로 당연히 하나님께서 당신의 뜻을 위해 사용하실 것이기 때문이다.

셋째, 돈으로 만사를 해결하려 하면 그 만사는 반드시 망치기 마련이라는 사실이다.

오렌지족이란, 부모와 교육의 통제 밖에 있는 젊은이들을 가리키는 대명사이다. 그렇지 않고서야 어찌 20대 초반의 젊은이가 한 달에 수백만 원, 아니 천만 원 이상의 용돈을 쓸 수 있겠는가? 참으로 한심하기 짝이 없는 젊은이들이다.

가난한 집에서는 절대로 오렌지족이 나오지 않는다. 오렌지족은 돈으로 만사를 해결할 수 있다고 생각하는 돈 많은 집안에서만 나오는 법이다. 돈으로 만사를 해결할 수 있다는 그 어리석은 생각이 자식을 망쳐 버린 것이다. 이런 의미에서 오렌지족 역시 불쌍한 피해자이다.

돈으로 침대는 살 수 있지만 잠은 살 수 없다. 돈으로 대저택은 살 수 있지만 행복한 가정은 사지 못한다. 돈으로 자신이 원하는 가구는 얼마든지 들여 놓을 수 있지만 참된 사랑은 사지 못한다. 무엇보다도, 돈으로 수천만 평의 땅은 살 수 있지만 하나님의 나라는 단 한 평도 살 수가 없다. 돈으로 중요한 것은 하나도 구할 수 없다. 오히려 돈 때문에 정작 중요한 것을 잃어버리는 경우가 더 허다하다. 그런데도 돈으로 만사를 해결할 수 있다고 착각한다면, 그는 그 돈으로 만사를 망칠 수밖에 없다.

마지막으로, 사람이 가지고 있는 모든 물질은 그가 세상을 떠날 때 어떤 형태로든 반드시 남게 된다는 사실이다.

중요한 것은, 사람이 한평생 물질을 지배하며 살았느냐, 아니면 그 물질의 지배를 당하고 살았느냐에 따라 그가 남긴 물질은 흉기가 되기도 하고 이기(利器)가 되기도 한다는 점이다.

부모의 시체를 앞에 두고 부모의 유산 때문에 형제간의 의가 상하는 사람들이 얼마나 많은가? 믿음과 인격으로 물질을 다루었을 때만, 하나님의 말씀으로 물질을 지배할 때만, 물질은 모든 사람들에게 유용한 하나님의 도구로 남는다.

내 방에는 아주 작은 상이 하나 놓여 있다. 오래되고 보잘것없는 상이다. 그렇지만 그 상은 바로 내 아버님이 세상을 떠나시기 전까지 무릎을 꿇고 성경을 보시며 기도하시던 책상이다. 나는 어디를 가든지 그 책상만은 항상 곁에 둔다. 그리고 생각날 때마다 한 번씩 그 책상을 쓰다듬으면서 그 앞에서 기도하시고 성경을 읽으시던 내 아버지의 모습을 마음 속에 기린다. 그 책상에는 아버지의 인격과 신앙이 배어 있기 때문에 내게는 그 어떤 책상보다도 가치 있는 물건이 되었다.

사랑하는 청년들이여!

열심히 일을 해서 물질을 바르게 모으고, 그 물질에 그대 신앙과 인격을 담으라. 그 물질을 바르게 사용하여 그것이 이 세상을 바꾸는 하나님의 도구가 되게 하라. 그리고 결코 잊지 말라! 사람이 이 세상을 떠나 하나님 앞에 설 때, 그 동안 이 세상에서 모은 물질을 들고 가는 것이 아니라 철저하게 빈손으로 가야 한다는 사실을 말이다. 물질은 결코 영원의 대상이 아니다.

크리스천과 애국

나의 형제 곧 골육의 친척을 위하여
내 자신이 저주를 받아 그리스도에게서 끊어질지라도 원하는 바로라 **롬 9:3**

참된 크리스천이라면 나라와 민족을 사랑하는 사람일 수밖에 없다. 다시 말하면 애국 애족과 무관한 크리스천은 존재할 수가 없다. 그 까닭은 세 가지다.

첫째, 크리스천이란 자기 중심적인 사고방식에서 벗어난 사람이다. 자기 자신이 중요하지 않아서가 아니라 자신이 중요한 만큼 다른 사람들 역시 똑같이 중요함을 알기에, 단수인 자신보다 복수인 다른 사람들을 생각하며 행동하는 사람이다. 따라서 복수의 총체인 나라와 민족을 위하는 삶을 사는 것은 너무나 당연한 일이다.

둘째, 크리스천은 언제 어디에 있든지 항상 지금 자기 곁에 있는 사람들을 사랑하는 사람이다. 우리는 미국 땅에 태어나서 미국인 곁에서 살고 있지 않다. 일본에서 태어나 일본인과 더불어 살고 있는 것도 아니다. 우리는 한국에서 태어나 지금 한국 사람들과 함께 살아간다. 그러므로 우리 민족을 먼저 사랑하고, 그들과 함께 살아가는 터전인 우리 나라를 먼저 사랑하는 것이 크리스천의 의무임은 두말 할 나위가 없다.

셋째, 무엇보다도 우리의 본이 되시는 주님께서 애국 애족의 삶을 사셨기 때문이다. 육신을 입고 이 땅에 오셨던 주님께서는 이스라엘에서 유대인으로 태어나셨다. 그분은 살아 생전에 단 한 번도 외국 여행을 해 보신 적이 없다. 그분은 이스라엘 경내에 계시면서 계속해서 유대인들을 사랑하며 사셨다. 그분이 그토록 사랑하셨던 갈릴리인 역시 외국인이 아니라 유대인이었다. 뿐만 아니라 그분은 자신의 조국인 이스라엘을 얼마나 사랑하셨던지 조국을 위해 울기까지 하셨다.

성경은 그분이 이 땅에 계시는 동안 세 번을 우셨다고 기록하고 있다. 한 번은 겟세마네 동산에서 당신 자신의 문제를 놓고 땀이 피가 되기까지 눈물로 기도하신 것이고, 또 한 번은 죽은 나사로가 살아나리라 말씀하셨음에도 불구하고 사람들이 믿지 못한 채 슬퍼하는 것을 보시고 통분해서 우신 것이다. 그리고 마지막 한 번은 감람산 위에서 이제 멸망당할 예루살렘을 보시며 조국을 위해 눈물을 흘리셨다. 주님께서 그처럼 당신의 나라와 민족을 사랑하셨다면, 그분을 주인으로 믿고 따르는 우리 역시 애국 애족의 사람이 되어야 마땅하지 않겠는가?

이처럼 참된 크리스천은 진정한 애국 애족의 사람이 되어야 하지만, 경계해야 할 것이 하나 있다. 그것은 크리스천들이 말하는 애국 애족은 세상 사람들이 말하는 애국 애족과 다르다는 점이다. 만약 크리스천들이 말하는 애국 애족과 세상 사람들이 말하는 애국 애족 사이에 아무런 차이가 없다면, 그것은 결코 크리스천들이 추구해야 할 애국 애족이 아니다.

청교도적 신앙인이었던 프랑스의 대문호 앙드레 지드가 이렇게 말했다.

"피레네 산맥을 사이에 두고 이쪽과 저쪽에서 그 의미가 달라지는 애국이라면 그것은 참다운 애국일 수가 없다."

유럽 지도를 보면 피레네 산맥을 중심으로 왼쪽에는 스페인이, 오른쪽에는 프랑스가 자리를 잡고 있다. 국경을 서로 맞대고 있는 모든 나라의 역사가 그렇듯이 스페인과 프랑스의 역사 또한 침략과 전쟁의 역사였다. 따라서 스페인 사람들이 애국자라 떠받드는 영웅이 프랑스 사람들에겐 침략자로, 프랑스의 애국 영웅이 스페인 사람들에겐 정복자로 여겨질 수밖에 없다. 앙드레 지드는 그런 애국이란 진정한 의미에서 참된 애국일 수 없음을 지적한 것이다.

현해탄을 사이에 두고 있는 한국과 일본도 예외는 아니다. 현해탄 저쪽 일본 사람들은 이토 히로부미를 근대 일본의 기틀을 만든 위대한 애국자로 추앙하여 일본 지폐에 그의 얼굴을 새겨 넣기까지 하였다. 그러나 현해탄 이쪽 한국인들에게 이토 히로부미는 우리 나라를 강탈했던 원흉이다. 이토 히로부미를 저격한 안중근 의사가 우리 나라에서는 애국 지사로 존경받지만, 일본인들에게는 그들의 영웅을 죽인 폭도일 뿐이다.

만약 이런 것이 애국이요 애족이라면 이것은 결코 크리스천들이 추구할 애국 애족일 수는 없다. 시간과 공간에 따라 그 의미가 달라지는 애국 애족은 크리스천들의 추구 대상이 아니다. 왜냐하면 크리스천들은 영원한 진리를 추구하는 사람들이기에, 영원한 진리의 기초 위에서 추구하는 애국 애족이란 어떤 시간과 공간에서도 그 의미가 날라질 수 없기 때문이다. 다시 말하면, 정말 진리 안에서 행하는 애국 애족이라면 피레네 산맥 이쪽에서도 애국이요 저쪽에서도 애국이어야 하며, 현해탄 어느 쪽에서든 애국이어야 한다는 뜻이다.

그렇다면 진리를 추구하는 크리스천들이 행하고자 하는 애국 애족과, 세상 사람들이 추구하는 애국 애족의 근본적인 차이점이 무엇인가?

세상 사람들은 자기 나라 자기 민족을 애국 애족의 마지막 종착역으로 삼는 데 반하여, 크리스천들은 자기 나라 자기 민족을 애국 애족의 시발점으로 삼는다는 것이다.

세상 사람들은 자기 나라 자기 민족이 가장 잘 되기를 바라는 이기적인 마음을 가지고 있으며, 그 이기적인 마음의 총 결집이 애국 애족이라는 구호로 나타난다. 다른 나라 다른 민족은 안중에 없이, 어떻게 하든 자기 나라 자기 민족이 잘 되는 것으로 만족해 한다. 그러므로 모든 나라 모든 민족이 애국 애족을 부르짖으면 부르짖을수록 나라와 나라 사이의 갈등은 더 커지게 마련이다.

반면에 크리스천들은 자기 나라 자기 민족을 언제나 참된 애국 애족의 시발점으로 삼는다. 자기 나라 자기 민족이 소중하기 때문에 다른 나라 다른 민족도 존중하면서 더불어 살아가는 삶을 추구한다. 그 결과 되돌아오는 것은 다툼이 아니라 언제나 평화이다.

바로 이것이 크리스천들이 추구하는 애국 애족의 참된 본질이다.

마태복음 10장을 보면, 주님께서 열두 제자를 선택하여 그들을 훈련시키시고 처음으로 전도의 현장에 내보내시는 장면이 나온다. 그 때 주님께서는 제자들에게 이렇게 말씀하신다.

"이방인의 길로도 가지 말고 사마리아인의 고을에도 들어가지 말고 차라리 이스라엘 집의 잃어버린 양에게로 가라."

무엇보다도 먼저 이스라엘 안에서 자기 민족을 찾아가라는 뜻이다. 이는 자기 나라 자기 민족을 종착역으로 삼기 위해서가 아니라 시발점으로 삼기 위해서였다.

주님께서 마지막 이 땅을 떠나실 때에는 "가서 모든 족속으로 제자를 삼아 내가 너희에게 분부한 모든 것을 가르쳐 지키게 하라"고 말씀하시고, 그것도 모자라 "땅끝까지 이르러 내 증인이 되라"고 하셨다. 이것은 바로 자기 나라와 자기 민족을 사랑하는 그 사랑으로 온 세계를 가슴에 품어 모든 사람과 더불어 진리 안에서 화평과 평안을 누리라는 명령이다.

주님께서는 유대인으로 태어나셔서 유대인으로 사시다가 유대인으로 이 땅을 떠나셨지만, 유대인인 동시에 온 인류를 마음 속에 품었던 진정한 세계인이셨다. 바로 이 세상 만물이 하나님의 피조물이요 온 인류가 하나님의 자녀라는 것을 아셨기에 그분은 세계를 송두리째 품으셨던 것이다.

이처럼 크리스천들이 추구하는 애국 애족이 자기 나라 자기 민족을 종착역이 아닌 시발점으로 삼을 때, 어떤 경우에도 민족주의의 함정에 빠지지 않을 수 있다.

1981년 8월에 리처드 워커 대사가 제12대 주한 미국 대사로 한국에 부임했을 당시, 미국 정부가 한국의 신군부를 지지한 것으로 인해 이 땅에는 반미 감정이 고조되고 있었다. 워커 대사가 부임한 뒤에도 반미 감정이 계속 악화되자, 어느 날 그는 한국 기자들과 환담하는 자리에서 이런 말을 했다.

"오늘날과 같은 지구촌 시대에 민족주의는 서로에게 이롭지 않습니다."

이 말은 한국인의 민족 감정을 건드리면서 여론을 더 악화시켰다. 학생들은 데모를 했고, 정치학자들까지도 신문의 칼럼을 통해 워커 대사에게 그 발언을 취소할 것을 요구했다. 그러나 워커 대사는 자기 말이 틀리지 않기 때문에 철회할 수 없노라고 맞섰다. 사태가 해결될 기미는 전혀 보이지 않았다.

그런데 그 때 마침 한국에 거주하고 있던 〈순교자〉의 작가 김은국 씨가 그 문제를 푸는 해결사가 되었다. 한국 사람이 말하는 민족주의는 영어의 내셔널리즘(nationalism)이 아니며, 영어의 내셔널리즘은 한국 사람이 말하는 민족주의가 아니라고 처음으로 일깨운 것이다.

미국은 단 한 번도 외국의 침입을 당하거나 외세의 지배를 받아본 적이 없이 도리어 다른 나라를 지배하는 자리에 있기 때문에, 그들이 말하는 내셔널리즘이란 약소국가를 짓밟는 강대국의 자기 옹호에 지나지 않는 용어이다.

반면에 우리 나라처럼 늘 강대국의 그늘에서 생존 자체가 문제시되던 약소국가에 있어서 민족주의란 자기생존을 지키려는 비장한 본능을 뜻하는 용어이다. 따라서 한국의 민족주의는 영어의 내셔널리즘일 수 없고, 영어의 내셔널리즘을 한국의 민족주의로 해석해서는 안 된다고 김은국 씨가 설명함으로써 사람들의 오해는 풀릴 수 있게 되었다.

그러나 여기서 중요한 대목이 있다. 내셔널리즘이든 민족주의든 배타적인 성격을 지니고 있다는 점에서는 차이가 있을 수 없다는 사실이다. 이런 의미에서 크리스천은 자기 민족을 사랑하고 더욱더 존중히 여기되 배타적인 민족주의자가 될 수는 없다. 물론 그보다 더 심한 국수주의자는 더더욱 될 수가 없다.

로마서 9장 1절부터 4절 상반절에 나타나 있는 사도 바울의 고백을 살펴보자.

"나는 그리스도 안에서 참말을 하고, 거짓말을 하지 않습니다. 내 양심이 성령 안에서 이것을 증언하여 줍니다. 내게는 내 동족을 위한 큰 슬픔이 있고, 내 마음에는 끊임없는 고통이 있습니다. 나는, 육신으로 내 동족 내 겨레를 위하는 일이면, 내가 저주를 받아서 그리스도에게서 끊어질지라도 달게 받겠습니다. 내 동족은 이스라엘 백성입니다"(표준새번역).

얼핏 보면 대단한 민족주의자의 주장처럼 들리는 말이다. 그렇다면 과연 사도 바울은 민족주의자였는가?

바울은 주님을 만나기 전까지는 분명히 민족주의자였다. 자기 민족의 관습과 이념에 맞지 않는 사람이라면 누구든지 가차없이 색출해서 처단할 정도로 철저한 민족주의자요 국수주의자였다. 그러나 주님을 만난 뒤, 자기 민족을 위해서라면 죽음도 불사하고 주님의 저주도 감수하겠노라 고백할 정도로 민족을 사랑하였음에도 불구하고, 바울은 더 이상 민족주의자가 아니었다. 유대인을 사랑하는 그 뜨거운 사랑으로 바울은 세계 모든 사람들을 사랑했고, 그 사랑 때문에 그는 유대인을 위해 유대 땅에서 죽은 것이 아니라 로마인을 위해 로마에서 자기 목숨을 버렸다. 그 역시 가장 유대인다운 유대인이었으며, 동시에 가장 세계인다운 세계인이었다. 그에게도 애국 애족은 종차점이 아니라 시발점이었던 것이다. 그래서 그가 어디를 가든지, 그의 발길이 닿는 곳마다 평화의 씨가 뿌려질 수 있었다.

그렇다면 크리스천의 애국 애족은 왜 처음부터 모든 나라, 모든 민족을 사랑하는 것으로부터 시작하지 않는 것일까? 왜 자기 민족을 먼저 사랑하고서야 그 사랑이 확대되어 가는 것일까? 그 이유는 간단하다. 자기 나라, 자기 민족을 사랑해 본 적이 없는 사람은 절대로 모든 나라와 모든 민족을 사랑할 수 없기 때문이다.

한 율법사가 주님께 하나님의 계명 중에 어떤 계명이 가장 중요하냐고 묻자, 주님께서는 '경천애인'(敬天愛人)이라고 대답하셨다. 하나님을 사랑하고 사람을 사랑함이라는 것이다. 그러나 이 때 주님께서 단순히 사람을 사랑하라고 하신 것이 아니라, 자기 자신을 사랑하는 것처럼 다른 사람들을 사랑하라고 말씀하셨다. 무슨 의미인가? 정말 자기 자신을 사랑하고 존중히 여기지 않는 사람은 절대로 남을 사랑할 수 없다는 의미이다.

자기 욕망에 빠져서 자신의 인생을 아무렇게나 허망하게 소진하는 사람이 다른 사람의 인생을 존중히 여길 수가 있겠는가? 술과 향락에 빠져 자신의 삶을 아무런 의미 없이 낭비하는 사람이 다른 사람의 삶을 귀하고 가치 있게 여길 수 있겠는가? 진리 안에서 자신을 다듬고, 진리 위에서 진정 자기 자신을 존중할 줄 아는 사람만이 다른 사람의 인생도 존중히 여기며 사랑할 수 있는 법이다. 애국 애족도 이와 마찬가지다.

요즘에는 해외 여행을 다녀 온 사람들이 부쩍 많아졌다. 어느 나라, 어느 곳을 가든지 한국인들을 만날 수 있고, 대한항공과 연결되는 곳이면 어떤 오지에서도 한국인들을 볼 수 있다. 그러나 수치스럽게도 오늘날 전 세계의 관광지에서 무질서와 탈법을 야기하는 관광객들은 거의가 한국인들이다.

뉴질랜드의 오클랜드를 방문하고 귀국 길에 대한항공을 탔을 때였다. 새벽 2시경에 비행기가 경유지인 피지 섬에 잠시 내렸고, 승객들은 보세 구역 안에서 대기했다. 그 안에 있는 면세점은 잠시 후에 한국인 관광객들로 가득 찼다. 그런데 여기저기에서 종업원들이 한국인 뒤를 따라다니면서, 한국인들이 물건을 집을 때마다 현장에서 돈을 내라고 하는 것이었다. 세계 어느 나라 면세점에서도 볼 수 없는 광경이었다. 그 동안 한국인들의 쇼핑이 얼마나 무질서했으면, 얼마나 많은 한국인들이 돈을 내지 않고 그냥 물건을 가져갔으면 그런 수모를 자초했겠는가?

세계의 유명한 관광명소에 가면 한국인의 이름이 새겨져 있는 것을 심심찮게 볼 수 있다. 우리 나라에서 단 한 번도 조국과 민족을 진정으로 사랑한 적이 없고, 조국의 법과 질서를 존중해 본 적이 없는 사람들이 해외에 나가 어떻게 남의 나라와 남의 민족을 사랑하고 존중할 수 있겠는가?

우리는 정말 참된 크리스천들이 되어야 한다. 그리고 이 나라와 민족을 사랑하는 사람들이 되어야 한다. 하나님의 뜻이 없었다면 우리는 결단코 이 땅에 태어나지 않았을 것이다. 우리는 무엇보다도 이 나라의 문화를 사랑하고, 민족을 사랑하고, 자신에게 주어진 의무를 다해야 한다. 이 나라의 법과 질서를 존중해야 한다. 작은 교통신호도 철저하게 지켜야 한다. 불의와 당당하게 맞설 수 있는 정의의 사람들이 되어야 한다.

그러나 어떤 경우에도 우리의 사랑이 이 나라 이 민족을 종착역으로 삼아서는 안 된다. 만약 그렇게 할 경우 우리는 인류의 평화를 깨트리는 자가 될 것이고, 그 화는 결국 우리 자신에게 되돌아올 수밖에 없을 것이다.

그러므로 그대 청년들은 우리 나라를 사랑하는 동시에 세계를 품을 수 있어야 한다. 황인종도, 백인도, 흑인도 품을 수 있어야 한다. 이 세계 모든 나라를 품을 수 있어야 한다. 그리고 우리의 사랑이 그들 모두에게로 확산될 수 있도록 이 나라 이 민족을 시발점으로 삼아야 한다.

지구는 둥글다. 우리가 이 나라와 이 민족을 시발점으로 삼아 모든 나라와 모든 민족을 향해 우리의 사랑을 계속 확대시켜 나아간다면, 그 사랑은 지구를 한 바퀴 돌아 다시 이 민족에게 평화로 되돌아올 것이다. 이것만이 그리스도 안에서 크리스천이 취할 참된 애국이요 애족이다.

크리스천과 역사

하나님이 약속하신 대로 이 사람의 씨에서
이스라엘을 위하여 구주를 세우셨으니 곧 예수라 행 13:23

1789년 7월 11일 밤, 성난 빠리 시민들이 철옹성 같던 바스티유 감옥을 무너뜨리고, 그 여세를 몰아 빠리 근교에 있는 베르사이유 궁전을 향해서 달려갔다.

한밤중에 노도와 같은 분노에 사로잡힌 시민들의 함성을 들은 루이 16세는 궁정 안에서 이렇게 외쳤다.

"반란이다!"

그 때 왕의 옆에 있던 신하 리앙꼴이 대답했다.

"폐하, 아니올시다. 이것은 혁명입니다."

이것은 너무나 잘 알려져 있는 역사적 사건이다. 혁명과 반란은 전혀 반대의 개념임에도 불구하고, 루이 16세와 리앙꼴은 같은 사건에 대해 이렇게 다른 해석을 내렸다. 그 사건을 바라보는 두 사람의 관점이 달랐기 때문이다.

만약 그 날 밤 왕의 친위대들이 그 시민들을 잘 막아 냈더라면, 왕을 중심으로 한 역사가들은 그 날 밤의 일을 '반란'으로 기술했을 것이다. 그러나 그 날 밤의 승리자는 시민들이었기에 시민들은 자신들의 입장에서 '혁명'으로 기록했다.

역사를 논할 때 언제나 중요한 것은 역사를 바라보는 관점, 즉 사관(史觀)이다. 어떤 사관으로 역사를 바라보느냐에 따라서 루이 16세와 리앙꼴처럼 같은 사건을 놓고서도 전혀 다른 해석을 내리게 된다.

인간이 갖고 있는 사관의 종류는 한두 가지가 아니다. 왕조 사관과 민중 사관, 황국 사관과 식민 사관, 개인주의 사관과 민족주의 사관, 관념론 사관과 유물론 사관, 문명주의 사관과 사회경제주의 사관 등 참으로 다양한 사관들이 있다. 그러나 이 모든 사관들이 가지고 있는 공통점은, 하나같이 헬레니즘에 입각한 인본주의 사관이라는 점이다. 다시 말하면 그 모든 사관들은 다 역사의 주체를 사람으로 보고 있다는 말이다.

한 사람의 사관은 그가 속해 있는 집단과 불가분의 관계에 있다. 지배 계층에 속해 있는 사람은 민중 사관을 가질 수가 없고, 스스로 민중이라고 자처하는 사람은 왕조 사관을 가질 수가 없다. 역사상 단 한 번도 타민족으로부터 식민 통치를 받아 본 적이 없는 영국 사람들이 식민 사관을 가질 수 없고, 아직까지 천황을 섬기는 일본 사람들이 황국 사관에서 벗어나기도 어렵다. 또한 공산주의자라면 유물 사관을 가질 수밖에 없다. 이처럼 한 사람이 어떤 집단에 속해 있느냐에 따라 사관이 달라지고, 무슨 사관을 갖고 있느냐에 따라 그가 속한 집단의 성격을 알 수 있다.

그렇다면 크리스천이 가져야 할 사관은 어떤 사관인가? 이것을 논하려면 크리스천들이 어떤 집단에 속해 있는 사람인지를 먼저 규명해야 한다.

크리스천은 지배자인가? 그렇지 않다. 크리스천은 민중인가? 아니다. 크리스천은 개인주의자인가? 그것도 아니다. 크리스천은 민족주의자인가? 물론 아니다. 지배자나 민중이나 민족주의자가 크리스천일 수는 있으나, 크리스천이 지배자나 민중 혹은 민족주의자를 의미하는 것은 아니다. 크리스천이란 주 예수 그리스도 안에서 하나님을 믿는 사람이요, 그렇기에 크리스천들이 모인 집단은 이 세상 그 어떤 집단과도 구별된다. 따라서 크리스천은 이 세상의 그 어떤 사관과도 무관하다. 크리스천은 역사의 주체를 인간이 아닌 하나님으로 보기 때문이다.

그러므로 크리스천이 가져야 할 사관은 헬레니즘 사관이 아닌 헤브라이즘 사관, 즉 신본주의 사관이어야 한다. 모든 역사를 하나님의 관점에서 바라보고, 하나님의 관점에서 이해하고, 하나님의 관점에서 해석하고, 그 역사의 주체를 하나님으로 인정하는 사관이어야 하는 것이다. 영어에서 역사(History)를 하나님 그분의 (His) 이야기(Story)로 보는 것과 같은 관점이다. 이것을 전문 용어로 구속(救贖) 사관, 혹은 구속사적 사관이라고 부른다. 즉 역사를 인간에 대한 하나님의 구원이란 관점에서 이해하는 것이다.

사도행전 13장 13절에서 23절에는 사도 바울이 비시디아 안디옥에서 그 곳 유대인들에게 유대 역사에 대해 설교하는 내용이 담겨 있다. 바울은 유대 역사에 대해 어떻게 설교하고 있는가?

"이 이스라엘 백성의 하나님이 우리 조상들을 택하시고 애굽 땅에서 나그네 된 그 백성을 높여 큰 권능으로 인도하여 내사, 광야에서 약 사십 년 간 저희 소행을 참으시고 가나안 땅 일곱 족속을 멸하사 그 땅을 기업으로 주시고(약 사백오십 년 간), 그 후에 선지자 사무엘 때까지 사사를 주셨더니, 그 후에 지희가 왕을 구하거늘 하나님이 베냐민 지파 사람 기스의 아들 사울을 사십 년 간 주셨다가 폐하시고 다윗을 왕으로 세우시고 증거하여 가라사대, 내가 이새의 아들 다윗을 만나니 내 마음에 합한 사람이라, 내 뜻을 다 이루게 하리라 하시더니 하나님이 약속하신 대로 이 사람의 씨에서 이스라엘을 위하여 구주를 세우셨으니 곧 예수라"(행 13:17-23).

유대 역사에 대한 사도 바울의 설교 내용 중에 인간이 끼어들 틈이라곤 바늘 구멍만큼도 없다. 주어는 철저하게 하나님이시다. 사도 바울은 이스라엘의 역사를 오직 하나님의 역사, 하나님의 구속사로 읽고 있다. 본문 중에서 주어인 하나님과 관련되는 동사만을 찾아보자.

"택하시고, 높여, 인도하여 내사, 참으시고, 멸하사, 주시고, 주셨더니, 주셨다가 폐하시고, 세우시고, 약속하신, 세우셨으니."

사도 바울은 한 나라의 흥망성쇠, 한 개인의 발흥과 쇠퇴를 철저하게 하나님께서 주관하시는 것으로 이해하고 있다. 사도 바울은 우연히 사도 바울이 된 것이 아니다. 그가 순간 순간마다 정확하게 판단하고 어긋남 없이 바른 길을 선택할 수 있었던 것은, 이처럼 철저한 구속 사관으로 역사를 주관하시는 하나님을 바라보는 자였기 때문이다.

그렇다면 크리스천들이 신본주의 사관, 즉 구속 사관을 갖는 것이 왜 중요한가?

그 이유는 첫째, 크리스천들은 하나님의 구속 사관을 가질 때에만 정말 정의를 추구하는 사람들이 될 수 있다.

인류의 역사를 보면 진시황도 죽었고, 알렉산더도, 나폴레옹도 다 죽었다. 불과 몇 년 전까지만 해도 소련의 고르바초프 대통령과 미국의 부시 대통령은 세계를 움직이는 가장 강력한 지도자였다. 그러나 지금은 그 두 사람이 어디에서 무엇을 하는지 알지 못하며, 누구도 그들에게 더 이상 관심을 갖지 않는다. 이제 조금만 더 세월이 흘러가 보라. 지금 각 나라의 정계를 주름잡고 있는 수많은 정객들도 다 사라지고 말 것이다. 모든 인간은 다 사라진다. 남는 것은 언제나 정의를 향한 역사밖에 없다.

이 세상을 한번 둘러보자. 불의를 따르는 사람들이 더 많은가, 아니면 정의를 따르는 사람들이 더 많은가? 말할 필요도 없이 불의를 따르는 사람들이 언제나 더 많다. 불의를 따르는 사람은 항상 다수고, 정의를 따르는 사람은 늘 소수다. 그럼에도 늘 소수가 속한 정의가 승리하는 이유는 무엇인가? 이유는 한 가지밖에 없다. 역사의 주체가 하나님이시기 때문이다. 만약 불의한 인간들이 역사의 주체라면, 역사는 절대 정의로 귀결되지 않을 것이다.

인간이 역사의 주체라 믿는 사람도 정의를 외칠 수는 있겠지만, 그것은 모두 자신의 불의를 합리화하기 위한 구호일 따름이다. 하나님 없는 사람은 절대로 정의로울 수 없다. 하나님의 구속 사관을 가진 하나님의 사람만이 이 사실을 바르게 알기에, 언제 어디서나 진정 정의를 추구하는 의로운 사람으로 살아갈 수가 있다.

둘째, 하나님의 구속 사관을 갖는 사람만이 그 어떤 모함이 있더라도 가야 할 길을 꿋꿋하게 걸어갈 수 있다.

사도 바울이 왜 유대인들에게 그토록 핍박을 받았는가? 왜 유대인들은 사도 바울이 가는 곳마다 쫓아다니며 그를 죽이려 했는가? 그들은 바울을 민족의 반역자, 유대인의 신앙과 관습과 문화를 하루 아침에 내팽개친 배신자로 본 것이다. 바울도 그 사실을 잘 알고 있었다. 그러나 자신이 배신자로 매도당하는 그 모함의 길을 그는 꿋꿋하게 걸어갔다. 만약 바울이 헬레니즘 사관을 가진 사람이었다면 그 역시 여론과 유권자의 표를 의식했을 것이고, 절대로 진리를 따르지 못했을 것이다. 그러나 바울은 하나님의 구속 사관을 갖고 있었기에, 동족으로부터 말할 수 없는 모함을 받으면서도 끝까지 가야 할 길을 갈 수가 있었다.

주전 586년경, 바벨론의 침공으로 예루살렘이 멸망 직전에 놓이게 되었다. 당시 선지자였던 예레미야는 하나님의 구속 사관으로 역사를 바라보고 있었기에, 하나님께서 타락한 이스라엘을 바로 세우시기 위해 바벨론이란 매로 이스라엘을 치실 것이라는 사실을 알았다. 그래서 예레미야는, "더 이상 바벨론과 싸워선 안 된다. 하루빨리 항복하자. 그것만이 우리의 죄를 깨닫는 것이요, 하나님께서 우리를 다시 세우시는 그 날을 앞당기는 길이다"라고 외쳤다. 그러나 그 결과는 무엇이었는가? 민족의 생존을 위해 항쟁을 불사하겠다는 모든 민족주의자들로부터 민족의 배신자로 내몰렸다. 그렇지만 예레미야는 하나님의 관점에서 역사를 바르게 읽고 있었기에, 온갖 핍박에도 불구하고 자신이 가야 할 길을 포기하지 않을 수 있었다.

그렇다면 우리 나라를 일본에 팔아 넘긴 이완용에 대해서도 새로운 해석을 내려야 하는 것은 아닐까? 이완용은, 지게에 짐을 많이 진 사람이 혼자 일어서려면 어렵지만 지팡이를 짚고 일어서면 쉽게 일어설 수 있듯이, 병든 조선은 홀로 일어설 수 없으므로 일본이란 지팡이를 의지하여 일어서기 위해 합병해야 한다고 주장했다. 그도 예레미야와 같은 사관을 가졌기에 이런 주장을 한 것인가? 그렇지 않다. 그는 어떤 경우에도 흉악한 매국노다.

그렇다면 예레미야와 이완용이 어떻게 다른 것인가? 이완용은 나라를 팔아먹은 대가로 개인적인 치부와 부귀영화를 누렸지만, 바벨론에 대한 항복을 외친 예레미야에게 돌아간 것은 온갖 수모와 모함 그리고 말할 수 없는 핍박이었다. 당시에는 이완용의 논리가 득세하는 것 같았으나 세월이 흐른 뒤 그는 매국노가 되었고, 예레미야는 당대에는 민족의 배신자로 낙인찍혔으나 얼마 지나지 않아 그의 말이 옳았음을 하나님께서 친히 증명해 주셨다. 그래서 예레미야는 오늘도 성경의 위대한 선지자로 살아 있고, 이완용은 민족의 반역자로 죽어 버리고 말았다. 이처럼 하나님의 사관을 가진 사람만이 어떠한 모함과 핍박 그리고 유혹 속에서도 자신이 걸어가야 할 길을 바로 걸어갈 수 있다.

셋째, 하나님의 구속 사관을 가진 사람만이 자기와 다른 자리에 서 있는 사람을 비난하지 않는다.

예루살렘이 멸망한 뒤 예루살렘의 많은 사람들이 바벨론에 포로로 끌려갔다. 그 때 바벨론으로 끌려간 사람들 중에 두 사람의 지도자가 있었다. 한 사람은 다니엘이고, 또 한 사람은 에스겔이다. 다니엘은 바벨론의 왕궁에서 좋은 옷을 입고 좋은 음식을 먹으며 편안한 여건 속에서 살았다. 반면에 에스겔은 그발 강가에서, 예루살렘으로부터 끌려온 이스라엘 포로들과 함께 비참한 삶을 살았다. 이렇게 두 사람은 전혀 상반된 상황 속에 있었다. 에스겔의 입장에서는 얼마든지 다니엘을 비방할 수 있었다.

"네가 정말 민족을 사랑한다면 어떻게 우리 민족을 포로로 잡아 온 바벨론의 왕궁에서 녹을 먹으며 살 수 있느냐?"

다니엘 역시 에스겔을 비난할 수 있었다.

"너처럼 해서는 조국의 독립을 가져올 수 없다. 영향력 있는 사람에게 영향을 미치지 않고서는 어림도 없다."

이처럼 그들은 서로를 비방하고 비난할 수 있었음에도 불구하고, 결코 자신과 다른 자리에 서 있는 상대를 부인하지 않았다. 그들은 하나님의 구속 사관을 가지고 있었기에, 하나님께서 자신들을 각각 다른 자리에 세우심으로써 당신의 선한 역사를 이끌고 계신다는 사실을 알았기 때문이다.

다니엘은 왕궁에서 끊임없이 왕들에게 선한 영향을 미친 결과, 마침내 고레스 왕 때 이스라엘 포로들이 해방되는 데 결정적으로 기여했다. 그것은 다니엘이 왕궁에 없었다면 불가능한 일이었을 것이다. 또 에스겔은 그발 강가에서 이스라엘 백성들에게 하나님의 말씀을 가르쳐서, 그들이 다시 예루살렘으로 돌아갔을 때 하나님과 바른 관계를 맺도록 하는 일에 기여했다.

이처럼 하나님의 구속 사관을 갖는 사람만이, "너는 체제 인사고 나는 반체제 인사다", "너는 여당이고 나는 야당이다", "너는 우(右)고 나는 좌(左)다"라는 식으로 사람들을 분열시키지 않는다. 하나님의 구속 사관을 가지고 있는 사람만이 모두를 통하여 당신의 역사를 이루어 가시는 하나님의 조화를 보며, 서로 협력하는 동역자가 될 수 있다.

넷째, 하나님의 구속 사관을 갖는 사람만이 같은 잘못을 반복하여 저지르지 않는다.

사람은 살아가면서 많은 잘못을 저지를 수 있다. 그러나 같은 잘못을 계속 되풀이하는 것은 하나님의 구속 사관을 결여하고 있기 때문이다.

아놀드 토인비는 〈미래를 살다〉라는 저서에서, 세계 모든 나라와 민족 중에서 역사적으로 큰 과오를 범한 뒤에 같은 과오를 다시 되풀이하지 않은 나라로 영국을 언급하면서, 두 가지 예를 들었다. 그 하나는 15세기에 영국군이 유럽 정복을 위해 프랑스를 침공했다가 잔다르크에게 궤멸된 이후, 다시는 유럽을 침공할 계획을 세운 적이 없다는 것이다. 그리고 또 하나는 영국이 북아메리카 대륙을 식민지로 갖고 있을 때 북아메리카 사람들이 요구한 자치권을 허락하지 않아 전쟁을 치른 뒤에 그 땅을 빼앗겼는데, 그 후로 같은 잘못을 반복하지 않기 위하여 인도와 호주 그리고 캐나다 등을 미리 독립시켜 주었다는 것이다. 이것은 다른 나라의 역사에서는 찾아보기 힘든 예이다.

어떻게 영국인들은 큰 잘못을 범한 뒤에 민족적으로, 역사적으로 같은 잘못을 반복하지 않는 지혜를 가질 수가 있었을까? 그들은 오래 전부터 하나님의 구속사적 관점에서 역사를 읽고 해석하는 데 익숙한 민족이었기 때문이다. 큰 일을 계획했다가 그것이 허물어질 때 하나님의 뜻이 아님을 깨닫고 같은 잘못을 자행하지 않은 것이다.

이처럼 개인이든 국가든 오직 하나님의 구속 사관으로 세상을 바라보고 역사를 읽어야만, 일평생 같은 잘못을 의미 없이 반복하지 않을 수 있다.

마지막으로, 하나님의 구속 사관을 갖는 사람만이 역사 속에서 일하시는 하나님의 오묘한 손길을 발견하고 매일매일 겸손하게 살아갈 수가 있다.

근대 중국은 서구 열강에게 패한 뒤 문호를 개방해야만 했다. 그와 동시에 서구로부터 수많은 선교사들이 중국으로 몰려들었다. 이 때 선교사들은 대부분 요한계시록 3장 7절과 8절이 새겨진 깃발을 들고 중국으로 들어간 것으로 알려져 있다.

"거룩하고 진실하사 다윗의 열쇠를 가지신 이, 곧 열면 닫을 사람이 없고 닫으면 열 사람이 없는 그이가 가라사대, 볼지어다 내가 네 앞에 열린 문을 두었으되 능히 닫을 사람이 없으리라."

하나님이 중국 문을 열어 주셨으므로 결코 닫을 사람이 없다는 믿음으로 들어간 것이다. 그러나 1949년에 모택동의 공산당 정부가 들어서면서 교회는 문을 닫았고 선교사들은 다 쫓겨났다. 그 때 선교사들의 절망이나 고통이 얼마나 컸겠는가? 그들은 한결같이 하나님을 향해 외쳤다.

"하나님, 왜 중국을 버리십니까?"

중국이 공산화되기 이전에 선교사들이 가장 애를 먹었던 것은 중국 전역에 만연되어 있던, 수천 년 동안 이어져 온 미신이었다. 그런데 지난 세월 동안 공산당 치하에서 그 모든 미신이 타파되었다. 공산당 독재 정권이 아니면 결코 할 수 없는 일이었다. 만약 선교사들이 10억 인구의 중국에서 직접 이 일을 하려 했다면 수백 년이 걸렸을 것이다. 이것은 1987년 방한했던, 중국 조선족 목회자 중 가장 원로인 김성하 목사님의 말이다. 하나님은 이제 미신이 없는 중국에 다시 복음의 문을 열어 주셨다. 이미 중국 크리스천의 수는 우리 나라 인구보다 더 많다. 앞으로도 중국 교회는 계속 불길처럼 번져 나갈 것이다. 21세기에는 중국이 세계 교회의 핵심이 될 것이라는 사실에 많은 사람들이 동의하고 있다.

눈에 보이는 역사적 사건의 배후에서 하나님은 신비스럽게 당신의 역사를 이루고 계신다. 우리 개인의 역사에서도 마찬가지다. 하나님의 구속 사관을 가진 사람만이 그 손길을 볼 수 있기에, 그는 매일매일 자만하거나 절망하지 않고 바르게 살아갈 수가 있다.

사람이 역사의 주체라는 헬레니즘, 즉 인본주의 사관을 통해서도 우리는 역사의 교훈을 얻을 수가 있다. 그러나 그 교훈이 우리를 근본적으로 바꾸어 줄 수 없는 것은, 헬레니즘에서 비롯된 모든 사관의 종착역은 공동묘지 이상이 될 수 없기 때문이다. 우리가 오직 헤브라이즘, 즉 신본주의 사관을 가질 때만 근본적으로 변화될 수 있는 까닭은, 바로 그것만이 우리의 삶과 역사 속에서 하나님을 바라보게 해 주는 망원경이자 현미경이기 때문이다. 그 사람만이 정녕 정의의 사람이 될 수 있다. 그 사람만이 정녕 칭의의 삶을 살아갈 수 있다. 그 사람만이 정녕 하나님의 역사— 'His Story'의 도구로 쓰임 받을 수 있다.

잊지 말라. 역사 바로 세우기는 재판정에서 시작되는 것이 아니라, 우리 한 사람 한 사람이 신본주의 사관을 가지는 것으로부터 비로소 시작된다.

크리스천과 고난

귀 있는 자는 들으라 하시니라 마 13:9

마태복음 13장 1절에서 9절을 보면, 주님께서는 "귀 있는 자는 들으라"고 말씀하셨다. 세상에 귀 없는 사람이 어디에 있겠는가? 그것을 모르실 리 없는 주님께서 왜 하필이면 "귀 있는 자는 들으라"고 말씀하시는 것인가? 이는 당신이 하시는 말씀이 그만큼 중요하기에 그 의미를 깊이 깨닫고 새기라는 뜻이다. 그 말씀이란 유명한 씨 뿌리는 자의 비유다.

이스라엘 농부들은 밀이나 보리를 파종할 때 하늘을 향해 씨를 흩날려 뿌린다. 따라서 많은 씨들은 대개 밭에 뿌려지지만, 만약 그 순간에 바람이라도 불면 씨들은 길가나 돌밭, 또는 가시떨기 위에 떨어지게 된다. 이 말씀은 길가, 돌밭, 혹은 가시떨기 위에 뿌려진 씨들은 바른 결실이 불가능한 반면에, 좋은 땅에 떨어진 씨들만 100배, 60배, 30배의 결실을 할 수 있다는 내용이다. 이것은 너무나도 당연한 이야기다. 좋은 땅에 떨어져야만 제대로 결실할 수 있다는 것은 새삼스럽게 귀를 기울여야 할 만큼 새로운 내용이 전혀 아니다.

주님께서는 계속해서 이 비유의 해석까지 친히 해 주셨다. 씨 뿌리는 농부는 주님이시요 씨는 주님의 말씀이기에, 가령 그 말씀을 받는 사람의 마음이 길가처럼 굳어 있거나 돌밭 혹은 가시떨기처럼 모가 나 있으면 말씀이 그 속에서 결실할 수 없고, 옥토와 같은 마음이라야 100배, 60배, 30배의 결실을 할 수 있다고 풀어 주신 것이다.

이것 역시도 전혀 새로운 이야기가 아니다. 이런 이야기라면 삼척동자도 알 수 있는 말이다. 그럼에도 주님께서는 이 당연한 말씀을 하시면서 왜 구태여 "귀 있는 자는 들으라"고 강조하시는 것인가? 그것은 너무나도 당연한 듯 보이는 이 말씀 속에 중요하고도 깊은 의미가 내포되어 있기 때문이다.

이 말씀 속에는 씨가 뿌려진 장소 네 곳이 언급되어 있다. 길가, 돌밭, 가시떨기, 좋은 땅—이렇게 네 곳이다.

이제 이 네 곳을 한번 자세히 들여다 보자. 왜 길가와 돌밭과 가시떨기에서는 제대로 결실이 되지 않는가? 왜 좋은 땅에서만 결실다운 결실이 가능한 것일까? 결실치 못하는 세 장소와 옥토의 본질적인 차이는 도대체 무엇인가?

2장에서 이미 말한 바와 같이, 그 차이란 오직 한 가지뿐이다. 길가, 돌밭, 가시떨기는 본래 있던 모습 그대로 있는 땅이지만, 옥토는 일구어진 땅이다. 다시 말해 옥토란 갈아지고 흙이 뒤집어엎어진 땅이다. 더 구체적으로 말하면 곡괭이, 삽, 호미, 쟁기 등이 그 땅을 깨고, 부수고, 갈아엎는 과정을 거친 땅이라는 말이다. 그런 과정을 통해 그 땅에서 불필요한 것들은 다 제거되고 결과적으로 남은 것은 옥토가 되는 것이다.

그렇다면 옥토라 부르는 땅은, 땅의 입장에서 보면 말할 수 없는 고난과 고통과 아픔을 겪은 땅이다. 곡괭이로 찍을 때마다, 호미로 파헤칠 때마다, 쟁기로 갈아엎을 때마다, 그 땅은 찢기고 으스러지고 가루가 되는 고난과 고통을 감수해야만 했다. 그리고 그 고난의 결과로 30배, 60배, 100배의 결실을 수반하는 옥토가 된 것이다.

주님께서 귀담아 들으라고 하신 의미가 바로 이것이다. 고난을 외면한 길가, 돌밭, 가시떨기는 여전히 그 모습 그대로 있을 뿐이다. 결실과는 전혀 무관한 채로 말이다. 오직 고난을 마다하지 않았던 땅만이 결실을 맺는 좋은 땅이 된다.

사람의 마음도 이와 마찬가지다. 주님의 말씀을 마음 속에 받아들여 삶의 열매로 결실하기 위해서는 그 마음이 먼저 깨어지고 부수어지고 으깨어져야 한다. 그것은 말할 수 없는 고난과 고통과 아픔의 과정이다. 그러나 그 아픔이 없이는 절대로 마음이 옥토가 될 수 없고 결실 또한 불가능하다. 그렇기에 주님을 믿지 않는 사람이라면 모르지만, 주님을 믿는 사람에게는 모든 고난이 결코 고난일 수 없다. 그 고난은 확실한 결실을 약속하는 하나님의 은총이요, 보증서이다. 귀 있는 자라면 이 사실을 깨달으라는 것이다.

그렇다면 하나님께서 고난을 통하여 사람의 마음을 옥토로 일구어 주신다는 것은 무엇을 의미하는가?

첫째, 하나님께서는 고난을 통하여 우리를 죄의 현장에서 돌아서게 만드신다.

하나님께서는 요나에게 니느웨로 가라고 말씀하셨다. 그러나 요나는 반대편 방향인 다시스로 갔다. 당시 니느웨는 세계 최강대국이었던 앗수르의 수도였고, 니느웨 사람들은 잔인하기로 소문난 사람들이었다. 예를 들면 죄수의 살갗을 벗겨 성벽을 도배할 정도로 잔혹한 사람들이었다. 이런 도성에 가서 심판을 선포한다는 것은 그처럼 끔찍한 죽음을 자초하는 것을 뜻했다.

그래서 요나는 하나님을 등지고 반대 방향으로 갔다. 그러나 그가 탔던 배는 폭풍에 휩싸였고, 그는 그 폭풍 속으로 던져지고 말았다. 그 순간 큰 물고기가 그를 삼켜 버렸고 그는 사흘 동안이나 물고기 뱃속에 갇혀 있어야만 했다. 참으로 말할 수 없는 고난과 고통의 순간이었다. 그러나 그 고난으로 인해 요나는 다음과 같이 고백할 수 있었다.

"내가 받는 고난을 인하여 여호와께 불러 아뢰었삽더니 주께서 내게 대답하셨고, 내가 스올의 뱃속에서 부르짖었삽더니 주께서 나의 음성을 들으셨나이다"(욘 2:2).

바로 그 고난으로 인해, 그 고난의 현장에서 요나는 삶의 방향을 바꾸었다. 하나님께로 돌아선 것이다. 만약 다시스로 향하는 요나에게 그 고난의 폭풍이 임하지 않았더라면, 다시스에 가서 제아무리 잘 먹고 잘 살았다 한들 하나님의 심판을 면치 못했을 것이다. 그를 덮쳤던 폭풍의 고난은 그야말로 하나님의 은총이었다.

누가복음 15장에는 탕자의 비유가 나온다. 그는 아버지로부터 많은 재산을 받아 객지에서 허랑방탕하게 살았다. 그 탕자에게 고난이 찾아왔다. 돼지가 먹는 쥐엄 열매도 먹지 못할 정도로 비참한 처지가 되었다. 참담한 고난과 고통의 시간이었다. 그러나 바로 그 고난으로 인해 그는 삶의 방향을 바꾸어 아버지께 되돌아갔다.

사람은 누구나 이 세상을 살아가면서 죄를 짓는다. 그러나 자신이 지은 죄의 결과로 고난을 겪게 된다면 그것은 말할 수 없이 큰 하나님의 은총이다. 가장 무서운 것은 사람이 죄를 지었음에도 불구하고 하나님께서 그를 방치해 두시는 경우이다. 그보다 더 무서운 심판은 없다. 그 결과는 반드시 하나님 앞에서의 파멸이기 때문이다.

둘째, 하나님께서는 고난을 통하여 우리의 믿음을 더 깊고 성숙하게 해 주신다.

죄의 현장으로부터 삶의 방향을 바꾸었다고 해서 모든 사람들이 다 성숙해지는 것은 아니다. 삶의 현장에서 크고 작은 고난을 경험하는 가운데, 사람들은 하나님의 말씀을 더욱 인격적으로 신뢰하면서 더 깊은 신앙으로 나아가게 된다.

하나님께서는 창세기 12장 1절을 통해 아브라함에게 이렇게 말씀하셨다.

"너는 너의 본토 친척 아비 집을 떠나 내가 네게 지시할 땅으로 가라."

고향에서 편안하게 사는 사람은 이 말씀을 수천 년 전 하나님께서 아브라함에게 하신 말씀 이상으로 여기지 않을 것이다. 그러나 어쩔 수 없는 형편으로 인해 고향 땅을 떠날 수밖에 없었던 사람에겐, 이 말씀이 그 누구도 아닌 바로 자기 자신을 향한 하나님의 인격적인 말씀으로 다가올 것이다.

외국에 이민을 간 사람들, 그 중에서도 아직 기반을 잡지 못해 삶의 고통 속에 있는 사람들이 가장 좋아하는 성경 구절 중에 하나가 바로 창세기 12장 1절 말씀이다. 이 말씀 속에서 그들은 하나님을 인격적으로 신뢰하게 되고, 하나님과의 사귐이 더욱 심화되는 것이다.

이사야 41장 10절을 통하여 하나님께서는 또 이렇게 말씀하신다.

"두려워 말라, 내가 너와 함께함이니라. 놀라지 말라, 나는 네 하나님이 됨이니라. 내가 너를 굳세게 하리라. 참으로 너를 도와주리라. 참으로 나의 의로운 오른손으로 너를 붙들리라."

그저 만사가 뜻대로 되어 간다고 생각하는 한 교인이 있었다. 그 사람은 이 성경 구절을 여러 번 듣고 읽었지만, 아무런 감흥이 없었다. 그러던 어느 날 뜻하지 않게 어린 외아들이 병원에 입원을 하게 되었고, 수많은 검사 끝에 암이라는 판정이 나왔다. 그것도 말기였기 때문에 더 이상 의술로는 손을 쓸 수 없다는 절망적인 판정을 받았다.

그저 아무도 보지 않는 곳에서 실컷 울고 싶은 마음으로 병원에 있는 예배실을 찾았다. 바로 그 예배실 앞에 이 성경 구절이 쓰여져 있었다. 그 사람은 그 날 이 성경 구절을 통하여 하나님을 인격적으로 신뢰하게 되었다.

그 때부터 그 사람의 삶이 바뀌어졌다. 자기 자식이 불치의 병에 걸리는 인생의 고난과 고통을 통해서, 자신의 삶 한가운데서 자신을 붙잡고 계시는 하나님과 동행하는 삶이 시작되었다. 그리고 그는 지금 자신의 아들과 더불어 누구보다도 성숙한 크리스천의 삶을 살고 있다.

시편 기자는 이렇게 고백했다.

"여호와께서 집을 세우지 아니하시면 세우는 자의 수고가 헛되며, 여호와께서 성을 지키지 아니하시면 파수꾼의 경성함이 허사로다"(시 127:1).

열심히 노력했지만 회사가 도산한 사람, 누구보다 건강했건만 하루 아침에 암 선고를 받는 쓰라림을 겪은 사람들에겐, 시편 127편 1절은 더 이상 단순히 종이 위에 인쇄된 글자가 아니다. 그것은 하나님의 살아 있는 말씀이다. 그리고 이 말씀과 더불어, 오직 하나님께서 자신의 인생을 지켜 주셔야만 존재 자체가 가능함을 고백하고 인정하는, 성숙한 하나님의 사람으로 변모해 간다.

모든 고난과 고통은 우리를 더 성숙한 믿음의 사람으로 인도해 주는 하나님의 초청장이다. 마치 조개의 상처가 영롱한 진주를 잉태하는 모태가 되듯이, 크리스천에게 주어지는 모든 고난은 진리의 진주를 잉태하는 은총의 자궁이다. 주님께서 이 땅에 계실 당시, 갈릴리 사람들이 주님과 가장 인격적인 관계를 맺었던 이유가 바로 여기에 있다.

이사야 9장 1절이 이렇게 증거하고 있다.

"전에 고통하던 자에게는 흑암이 없으리로다. 옛적에는 여호와께서 스불론 땅과 납달리 땅으로 멸시를 당케 하셨더니, 후에는 해변 길과 요단 저편 이방의 갈릴리를 영화롭게 하셨느니라."

바로 그 갈릴리 땅은 헬라 제국, 로마 제국, 앗수르 제국, 바벨론 제국 등 모든 외세가 침범하는 길목이었다. 갈릴리 사람들은 늘 침략과 약탈을 당했고, 가난과 고난 속에서 살아야 했다. 그들의 삶 자체가 고통이었다. 그러나 그 긴긴 고통으로 인해 그들은 누구보다도 더 인격적으로 예수 그리스도를 신뢰했다. 그들의 그 고통이 말씀이신 주님을, 진리이신 주님의 말씀을 품는 은총의 그 릇이 되었던 것이다. 그래서 다른 지방의 사람들이 주님을 배척할 때에도 그들은 주님을 따랐다. 주님의 제자들 중 거의 모두가 다 갈릴리 사람이었던 것은 결코 우연이 아니다.

시편 기자는 이렇게 고백하고 있다.

"고난 당한 것이 내게 유익이라. 이로 인하여 내가 주의 율례를 배우게 되었나이다. 주의 입의 법이 내게는 천천 금은보다 승하니 이다"(시 119:71, 72).

고난이야말로 참으로 유익한 하나님의 선물이다. 그 선물의 가 치는 시편 기자의 고백처럼, 천천 금은과는 비교도 되지 않는다.

셋째, 하나님께서는 고난을 통하여 우리가 다른 사람을 위해 살 아가는 참된 크리스천이 되도록 빚어 주신다.

참 인간의 가치는 다른 사람을 위해 봉사하며 살아가는 데 있 다. 진정한 삶의 기쁨 역시 타인의 유익을 위해 살아가는 데 있다. 타인을 위해 산다는 것은 곧 '자기 확장'을 의미하기 때문이다. 그리고 고난이야말로 이와 같은 자기 확장을 가능케 하는 하나님 의 가장 확실한 도구이다.

서울 봉천동에서 병원을 개업중인 윤주홍 장로님은 '봉천동의 슈바이처'로 불리고 있다. 봉천동이 빈민촌이던 시절부터 그의 도 움을 받지 않은 아이가 없고, 그의 신세를 지지 않은 어른이 없을 정도다. 오죽하면 그 동네 사람들이 그를 슈바이처로 부르며 친부모 형제처럼 따르겠는가? 그러나 그가 처음부터 그런 삶을 살 수 있었던 것은 아니다.

그는 1973년 사랑하는 자식을 교통 사고로 잃었다. 아이를 친 택시기사가 피투성이가 된 아이를 안고 뛰어든 병원이 공교롭게도 그의 병원이었다. 그는 결과적으로 자기 자식에게 사망 진단을 내린 아버지가 된 셈이었다.

그 후 한동안 밤잠을 설치는 고통의 날들을 보내야만 했다. 그리고 그는 마침내 일어섰다. 하나님께서 사랑하는 자신의 자식을 데려가신 것은 자신을 슬픔 속에 내버려 두시기 위함이 아니라, 이 세상의 모든 아이들을 자식처럼 돌보게 하시기 위함임을 깨달았던 것이다.

그리하여 그는 그의 표현대로, 단 한 명의 자식을 잃고 수많은 자식들의 아버지가 되었다. 자신이 당한 고난을 통해 그는 그처럼 아름다운 자기 확장을 이룬 것이다.

설리번 선생과 헬렌 켈러의 이야기를 우리는 잘 알고 있다. 헬렌 켈러는 듣지 못하고, 보지 못하고, 말하지 못하는, 말하자면 짐승 같은 인간이었다. 헬렌 켈러를 가르치기 위하여 왔던 선생들은 짐승보다 나을 것이 없는 그의 상태를 보고서는 다 떠나 버리고 말았다. 그러나 설리번 선생은, 헬렌의 집에 처음 도착하던 날, 그 짐승 같은 상태의 아이를 꼭 안아 주었다.

그 이후 설리번 선생은 지성을 다한 노력으로 헬렌 켈러에게 수화와 단어를 가르칠 수 있었다. 어느 날 사랑이라는 단어를 배우게 되었을 때, 설리번 선생이 "사랑이 무엇이냐"고 물었다. 헬렌 켈러는 "선생님이 오시던 날 나를 꼭 안아 주신 것"이라고 대답했다. 설리번 선생이 꼭 안아 주던 그 첫날부터 짐승처럼 거칠던 헬렌 켈러의 마음이 녹아 내리고 있었던 것이다.

설리번 선생은 어떻게 남들이 손잡기도 꺼려 하던 그 짐승 같은 아이를 사랑으로 껴안아 줄 수 있었을까? 그것은 설리번 선생 자신이 심각한 망막 질환으로, 실명 직전까지 갈 정도로 큰 아픔과 고통의 과정을 겪은 사람이었기 때문이다. 자신이 겪었기에 그 같은 고통 속에 빠져 있는 불쌍한 헬렌 켈러를 진심으로 사랑을 다해 안아 줄 수 있었다. 그 사랑이 헬렌 켈러를 살려 낸 것이다.

헬렌 켈러만이 위대한 여인이라고 말한다면 그것은 전혀 사실이 아니다. 헬렌 켈러가 절망에 빠진 수없이 많은 사람들에게 희망의 빛을 줄 수 있었던 것은, 아픔과 고통과 고난을 먼저 겪었던 설리번 선생이 그녀의 곁에 있었기 때문이다. 그러나 설리번에게 고난이 없었던들 헬렌 켈러를 살려 내는 자기 확장은 불가능했을 것이다.

내가 아는 이 중에 소아마비로 인해 보행이 불편한 목회자가 있다. 그는 장애인들을 찾아가 이렇게 설교한다.

"제 다리를 보십시오. 저도 다리를 쓰지 못합니다. 저 역시 여러분들과 똑같은 장애인입니다. 그러나 하나님께서는 제게 다리보다 더 귀한 것을 주셨습니다."

그의 설교는 수많은 장애인들의 마음을 움직인다. 그는 고난을 당했지만 고난당한 다른 사람들을 위해 살아가는 자기 확장자가 되었다.

베드로전서 2장 19절에서 20절이 이렇게 증거하고 있다.

"애매히 고난을 받아도 하나님을 생각함으로 슬픔을 참으면 이는 아름다우나, 죄가 있어 매를 맞고 참으면 무슨 칭찬이 있으리요. 오직 선을 행함으로 고난을 받고 참으면 이는 하나님 앞에 아름다우니라."

죄를 짓다가 고난을 받고 죄에서 돌아섰다면, 이는 천만다행한 일일뿐 칭찬 받을 일은 아니다. 그러나 선을 행함에도 불구하고 고난을 받고 참으면 이것은 하나님 앞에 아름다운 일이다. 우리가 이미 죄에서 떠나 성숙한 삶을 살고 있으며 한 걸음 더 나아가 선과 의를 행하고 있는데, 왜 고난이 있으며 그것이 또 어떻게 하나님 앞에서 아름다운 일이 될 수 있단 말인가? 그것은 고난이 자기 확장을 낳고, 자기 확장이 많은 사람의 유익으로 귀결되기 때문이다. 하나님 앞에서 그보다 더 아름다운 일이 어디 있겠는가?

생각을 해 보자. 흙이 깨어지고, 부수어지고, 갈아 뒤집어엎어지는 고난과 고통의 과정을 통해 옥토가 되었다. 그리고 30배, 60배, 100배의 결실을 맺었다. 그러나 그 결실은 땅 자체의 유익을 위한 것이 아니라 타인의 유익을 위한 것이다. 주님께서는 이 점을 귀담아 들으라고 하셨다.

내가 고난받음으로 인해 수많은 사람들이 살아난다. 이것을 아는 사람이 십자가를 진다. 그래서 크리스천들이 당하는 고난은 결코 고난으로 끝나지 않는다.

오늘날 우리 사회는 십자가를 지는 사람을 필요로 한다. 십자가에 대해 이야기하는 사람들은 많지만 십자가를 지려는 사람들은 지극히 드물다.

크리스천인 그대 청년들이 마땅히 져야 할 십자가를 지면 이 민족이 살아날 것이다. 우리 민족이 져야 할 십자가를 지면 인류가 살아날 것이다.

십자가란 피하면 피할수록 무거워지지만, 고난을 두려워 않고 지기만 하면 날로 날로 새처럼 가벼워진다. 주님께서 그 십자가를 부활의 영광으로 승화시켜 주시기 때문이다. 그렇기에 주님께서 그대에게 귀담아 들으라 말씀하신 것이다. 고난의 십자가를 거치지 않는 부활의 영광이란 모두 허구일 뿐이다. 허구는 어떤 경우에도 진실이 아니다.

크리스천과 부활

어찌하여 산 자를 죽은 자 가운데서 찾느냐
여기 계시지 않고 살아나셨느니라 눅 24:5하, 6상

십자가에 못박혀 돌아가신 주님께 무덤이 없었던 것은 아니다. 분명히 무덤이 있긴 했지만 인간의 무덤과는 그 의미가 전혀 달랐다. 인간의 무덤이 인생의 종착역이라면 주님의 무덤은 부활과 영원한 생명의 시발점이었다.

당시 유대인의 장례 관습은 시체를 땅 속에 매장하는 우리 나라의 관습과는 전혀 달랐다. 그들은 자연 동굴 혹은 인위적으로 판 바위 동굴을 무덤으로 삼았다. 그리고 동굴 안 평평한 바위 위에 시체를 안치한 후 동굴 무덤의 입구를 돌로 막아 두었다. 따라서 필요할 때면 사람들은 언제든지 그 속으로 들어갈 수 있었다.

동굴 무덤 속의 시체가 다 썩으면 가족들은 뼈를 추려 유골 항아리에 넣은 뒤 무덤 속 한켠에 두었다. 그리고 가족 중 다른 사람이 죽으면 같은 방법으로 그 무덤을 다시 사용하였다. 만약 한 가

정에 초상이 연이어 일어나면 같은 무덤 속에 두세 사람의 시체를 동시에 안치하기도 하였다.

주님의 시신이 안치되었던 동굴은 아리마대 출신의 부자 요셉이 자신을 위해 예비해 둔 새 무덤이었다. 그래서 그 무덤에는 다른 시체가 없었다. 주님의 시신이 그 속에 안치된 지 사흘째 되던 날 새벽 미명, 평소 주님을 따르던 세 여인이 그들의 관습에 따라 주님의 시신에 향품을 발라 드리기 위해 무덤을 찾았다.

아직 온 사방이 캄캄한 새벽임에도 불구하고 어찌 된 일인지 동굴의 입구를 막고 있던 돌문이 열려 있었다. 그리고 무덤 속에는 응당 있어야 할 주님의 시신이 보이지 않았다. 그 때 갑작스런 두려움에 사로잡혀 벌벌 떠는 여인들 앞에 나타난 천사가 이렇게 말했다.

"어찌하여 산 자를 죽은 자 가운데서 찾느냐? 여기 계시지 않고 살아나셨느니라."

그 때는 이미 주님께서 사망의 권세를 깨트리시고 부활하신 후였다. 그러나 그 사실을 몰랐던 여인들은 부활하신 주님을 죽은 자의 무덤 속에서 찾고 있었던 것이다.

기독교는 결단코 죽은 자의 무덤을 찾아 순례하고 참배하는 무덤의 종교, 죽음의 종교가 아니다. 기독교는 무덤과 죽음을 뛰어넘는 참생명의 종교, 영원한 생명의 종교다. 그것은 두말 할 것도 없이 주님께서 무덤으로부터 부활하셨기 때문이다.

그렇다면 부활이 왜 중요한지, 부활이 왜 기독교의 핵심인지를 생각해 보자.

첫째, 주님께서 부활하셨기 때문에 우리에게 영원한 생명이 주어졌고 주님의 구원은 영원한 구원이 되었다.

우리는 주님께서 우리가 받아야 할 죄의 형벌을 대신 당해 주시기 위해 십자가의 고난을 당하셨음을 다 알고 있다. 그러나 만약 주님께서 부활하지 않으셨다면 그분의 구원은 이 땅에 국한된 유한한 구원일 수밖에 없다. 즉 죄의 문제와 더불어 가장 근본적인 죽음의 문제를 본질적으로 해결해 주실 수가 없는 것이다.

당신 자신이 무덤을 종착역 삼아 그 속에 시체로 누워 있으면서 어떻게 우리의 무덤 이후를 책임져 주실 수 있겠는가? 주님께서 사망을 완전무결하게 분쇄하시고 영원히 부활하셨기에, 그분이 우리에게 주시는 구원과 생명은 영원한 구원, 영원한 생명이 된다. 따라서 요한복음 3장 16절은 주님께서 부활하셨기 때문에 가능한 주님의 말씀이다.

"하나님이 세상을 이처럼 사랑하사 독생자를 주셨으니 이는 저를 믿는 자마다 멸망치 않고 영생을 얻게 하려 하심이라."

둘째, 주님께서 사망을 이기시고 영원히 부활하셨기에 주님의 모든 말씀은 오늘도 살아 있는 말씀일 수가 있다.

인간의 말은 그의 죽음과 함께 효력을 상실하게 된다. 주님께서 아무리 좋고 옳은 말씀을 하셨다 한들 2000년 전에 부활하지 않으셨다면, 오늘을 사는 우리가 그분의 말씀을 알 필요도 기억할 필요도 없으며, 믿을 필요는 더더욱 없다. 그러나 주님께서 영원히 부활하셨기 때문에 부활하신 그분과 함께 그분의 모든 말씀도 영원한 생명을 지니며, 바로 이 순간에도 살아 역사하는 것이다.

"모든 육체는 풀과 같고 그 모든 영광이 풀의 꽃과 같으니, 풀은 마르고 꽃은 떨어지되 오직 주의 말씀은 세세토록 있도다"(벧전 1:24, 25상).

주님께서 부활하셨기에 주님의 말씀은 세세토록 있을 수밖에 없다.

셋째, 주님께서 부활하셨기 때문에 우리가 거듭나게 되었다.

우리 자신의 의지나 능력만으로는 거듭날 수 없음을 우리 자신이 더 잘 알고 있다. 우리는 평소 많은 것을 결심하지만, 얼마나 쉬 허물어지는가? 그러나 부활하신 주님께서 당신의 능력으로 우리를 붙잡아 주시기에 그분 안에서 그분을 힘입어 우리는 거듭난 삶을 살 수 있는 것이다.

"그런즉 누구든지 그리스도 안에 있으면 새로운 피조물이라. 이전 것은 지나갔으니 보라 새 것이 되었도다"(고후 5:17).

부활하신 그분 안에서는 누구든 거듭날 수 있다. 그분의 부활의 능력 때문이다.

부활의 의미와 가치는 아무리 강조해도 지나침이 없다. 부활이 없는 종교란 아무리 미화하고 꾸민다 한들 결국은 죽음과 무덤의 종교일 수밖에 없다. 오직 부활의 종교만이 참생명의 종교, 참진리의 종교, 참 거듭남의 종교가 될 수 있다.

"그리스도께서 다시 사신 것이 없으면 너희의 믿음도 헛되고 너희가 여전히 죄 가운데 있을 것이요"(고전 15:17).

주님께서 부활하시지 않았다면, 이미 무덤 속에서 흙이 되어 버렸을 그분을 믿는 우리의 행동보다 더 헛된 것은 없을 것이다.

그런데 여기서 반드시 짚고 넘어가야 할 문제가 있다. 부활이 이처럼 중요할진대, 도대체 주님께서 부활하신 현장을 우리 중 누가 직접 목격했는가? 우리들 가운데 2000년 전 그 현장에 있었던 사람은 단 한 사람도 없다. 그렇다면 우리가 목격하지도 못한 그분의 부활을 믿을 수밖에 없는 증거는 과연 무엇인가?

그것은 첫째, 오늘도 주님의 이름으로 수없이 많은 사람들이 새 생명을 얻고 있다는 사실이다.

진리를 따르는 사람들을 돌로 쳐죽이는 일에 앞장 섰던 폭도 사울이 주님 안에서 사도 바울로 변했다. 희대의 탕아 어거스틴이 누구의 이름으로 거듭났는가? 예수 그리스도의 이름이었다. 아프리카 흑인들을 사냥질하여 노예 시장에 팔아먹던 인간 백정 존 뉴튼은 누구 안에서 새 생명을 얻었는가? 예수 그리스도 안이었다. 그래서 그는 이렇게 노래할 수밖에 없었다.

"나 같은 죄인 살리신 주 은혜 놀라워
잃었던 생명 찾았고 광명을 얻었네."

우리는 도대체 누구로 인해 거듭났는가? 예수 그리스도로 인함이었다. 그분이 아니었던들, 나는 오늘도 서울 밤거리 어딘가를 탕아처럼 배회하고 있을 것이다. 부활하신 예수 그리스도, 그분의 이름으로 오늘도 수없이 많은 사람들의 인생이 새로워지고 있다.

그러나 이것만으로는 부족하다. 불교 신자들은 부처님에 의해 중생을 얻고 있다. 따라서 이것이 주님께서 부활하셨다는 유일한 증거가 될 수는 없다.

둘째, 이 세상에는 소위 주님의 무덤이란 것이 없다.

세상의 종교에는 그 종교 창시자의 왕릉 같은 무덤이 반드시 있게 마련이다. 창시자의 무덤을 웅장하게 꾸밀수록 자기 종교의 권위가 높아진다고 생각하는 까닭이다. 그러나 무덤이 있다는 것은 그 창시자의 종착역이 죽음이었음을 스스로 증명하는 것이다.

그러나 주님께는 무덤이 없다. 무덤의 핵인 시신이 없기 때문이다. 만약 주님께서 부활하지 못하셨다면 주님을 추종하던 자들은 이스라엘 어딘가에 반드시 태산같이 거대한 무덤을 만들었을 것이다. 그것이 남은 자들의 본능이다. 그러나 이스라엘 땅 그 어느 곳에도, 혹은 지구 위 그 어디에도 주님의 무덤은 없다. 주님이 부활하신 현장으로 알려진 동굴만이 존재할 뿐이다. 무덤 없는 예수 그리스도, 이것은 확실한 부활의 증거가 될 수 있다.

그러나 이것만으로도 부족하다. 당시 대제사장들은, 주님의 제자들이 주님의 시체를 훔쳐간 뒤에 부활을 거짓 증거한다고 주장했다. 그러므로 한 가지 더 확실한 증거가 있어야 한다.

마지막 증거는 주님의 제자들이 전했던, 다시 말해 성경이 전한 부활의 증거가 지난 2000년 동안 허물어지지 않았다는 것이다.

닉슨 대통령의 보좌관을 지냈던 찰스 콜슨은 자신의 고백록인 〈거듭나기〉(Born again)에서 다음과 같이 대단히 중요한 사실을 전해 주고 있다.

1972년 5월 미국 대통령 선거를 약 5개월 정도 앞두고, 워싱턴 DC 소재 워터게이트 건물에 세들어 있던 민주당 본부에 절도범이 들었다. 그 자체로는 전혀 대수로울 것이 없는 사건이었다. 그러나 공교롭게도 체포된 절도범 중 한 사람의 주머니에서 백악관 직원의 이름이 적힌 쪽지가 발견됨으로써 파문이 일기 시작했다. 소위 워터게이트 사건이었다. 그러나 그 해 11월, 닉슨 대통령은 미국 대통령 선거 역사상 유례 없는 압승을 거두면서 재선에 성공했다. 그리고 1973년 2월에는 그 지긋지긋하던 월남전을 종결시켰다. 말하자면 닉슨 대통령은 최고의 절정기를 누리고 있었던 것이다.

그럼에도 불구하고 워터게이드의 망령은 사라지지 않고 오히려 날이 갈수록 더 확대되어 갔다. 마침내 닉슨 대통령의 보좌관 10여 명은, 1973년 3월 21일 워터게이트 사건의 진상을 은폐하기 위한 음모를 꾸몄다. 당시 그들은 미국에서 쟁쟁한 명성을 날리던 일류 변호사들이었고, 최고 엘리트 중의 엘리트였다. 그들은 누구보다도 법을 잘 알았고 어떻게 은폐하면 확실하게 그 사건을 가릴 수 있는지도 알고 있었다.

그들은 인간 닉슨에게 매료된, 닉슨의 열렬한 신봉자들이었다. 그래서 미국에서 가장 높은 수입이 보장되는 일류 변호사직도 미련 없이 던져 버리고, 오직 닉슨을 위해 백악관으로 들어간 자들이었다. 그들은 닉슨을 위하여 24시간 동안 근무하는 것도 주저하지 않았고, 닉슨을 위해서라면 자신의 목숨도 버릴 각오를 하고 있었다.

이 보좌관들을 위해 닉슨 대통령이 위임해 준 권한 또한 대단했다. 이를테면 그들이 제의하면 장관, 장성, 군대를 어디로든 옮길 수가 있었고, 공무원들의 채용, 승진, 해임의 권한을 위임받았으며, 천문학적 숫자에 달하는 연방 정부의 예산을 그들의 뜻대로 주무를 수 있었다. 그런가 하면, 전화 한 통화로 리무진은 말할 것도 없고 제트기까지 동원할 수 있었다.

그뿐이 아니었다. 국립 미술관 소유의 그림은 무엇이든지 대여하여 자기 집무실에 걸어 둘 수 있었고, 붉은 상의를 입은 스튜어

드(미국의 백악관에서 고위관리들을 위해 시중 드는 사람)가 24시간 방문 앞에 대기하면서 그들을 위해 봉사했으며, 그들이 원하는 곳이라면 사막에라도 즉시 전화를 가설할 수가 있었다. 게다가 1급 비밀 경호원들이 24시간 그들을 밀착 경호해 주었다. 참으로 엄청난 특권이었다. 미국 남자라면 누구나 한 번쯤은 누려 보고 싶을 만한 특권이었음이 틀림없다.

그 보좌관들은 그 같은 특권과 자신들의 명예를 지키기 위해, 그리고 무엇보다도 그들이 그토록 열렬히 신봉하는 닉슨 대통령을 위해 완벽하게 사건을 은폐하는 음모를 꾸몄다. 그들의 법률적인 지식으로 볼 때, 그들이 꾸민 은폐 기도는 완벽할 수밖에 없을 것이었다. 그러나 놀랍게도 그로부터 겨우 18일이 지난 4월 8일, 그들의 음모는 들통나고 말았다.

그처럼 최고의 법률 엘리트들이 꾸민 완벽한 음모가 어찌 3주를 못 버티고 송두리째 허물어지고 말았는가? 이유는 오직 한 가지, 그것이 거짓이었기 때문이다. 그들이 모든 지혜를 총동원하여 거짓을 지키려 했지만, 그것은 거짓이었기에 서로의 진술이 엇갈릴 수밖에 없었다.

그들에게는 그 어떤 생명의 위협도 없었다. 그들을 협박하는 사람도 없었고 그들을 삼키려는 맹수도 없었다. 그럼에도 불구하고 그들은 끝내 그 거짓을 지킬 수가 없었다.

만약 주님께서 부활하지 못하셨다면, 성경이 전하는 부활 이야기란 대제사장들의 주장처럼 주님의 시체를 숨긴 제자들의 거짓말에 불과했을 것이다. 미국 최고의 엘리트들이 꾸민 거짓말이 18일을 넘기지 못했다면, 무식한 갈릴리 어부들이 아무리 말을 잘 맞추었다고 한들 그들의 거짓이 며칠이나 유지될 수 있었겠는가? 더욱이 주님의 부활을 증거할 때마다 그들은 생명의 위협을 받아야만 했다. 사자의 밥이 되기도 하고 순교를 당하기도 했다. 그러나 부활의 증언이 철회되기는커녕, 그들은 죽는 순간까지 주님의 부활을 외쳤다. 주님께서는 정말 부활하셨던 것이다. 그들은 정말 부활하신 주님을 만났던 것이다.

지난 2000년 동안 부활의 증거를 허물어뜨리기 위한 숱한 도전과 시도가 있었지만, 성경의 증언은 결코 허물어지지 않았다. 이것이야말로 부활의 가장 확실한 증거다.

그렇다면 부활하신 주님을 우리는 어디서, 어떻게 만날 수 있는가? 주님의 부활은 요란한 꽹과리 소리 속에서 이루어지지 않았다. 정적에 쌓인 새벽 미명에 여인들이 주님의 무덤을 찾아갔을 때는, 주님께서는 이미 부활하신 뒤였다. 마음 가득 세상을 품고서는 예배당에서 밤낮으로 산다 한들 부활하신 주님을 만날 수 없다.

오직 우리 영혼이 고요한 새벽같이 비어 있을 때, 우리는 흑암 속에서도 부활하신 주님을 만날 수 있다. 부활하신 주님께서는 언제나 우리 곁에 계시기 때문이다. 부활하신 주님을 인격적으로 만난 사람에겐 참된 거듭남이 있고, 그의 삶엔 진리의 열매가 맺힐 것이다. 참된 결실은 오직 참된 생명 속에서만 가능하다. 아무리 좋은 묘목이라도 생명 없는 사막에서는 죽어 버리는 것과 같은 이치다.

신학자 폴 틸리히는 "영원한 죽음"이라는 말을 했다. 죽음이란,

한 번 죽으면 영원히 끝이기 때문이다.

청년들이여, 지금 그대를 스쳐 지나가고 있는 현재의 시간들이 쌓이고 쌓여 그대의 일생이 된다. 아무런 의미 없이 영원히 죽어지는 인생이 될 것인가, 아니면 부활의 주님 안에서 영원히 살아있는 인생이 될 것인가? 그대가 지혜로운 자라면, 무엇이 바른 해답인지 이미 알고 있을 것이다.

크리스천과 의

노아는 의인이요 당세에 완전한 자라 **창 6:9중**

농경사회는 자급자족이 가능했지만 오늘날과 같은 시장경제사회에서는 돈이 필요하다. 가장 기본적인 의식주 문제를 해결하기 위해서도 돈은 꼭 있어야 한다. 이는 크리스천도 예외가 아니다. 크리스천에게도 경제 행위는 반드시 필요하기 때문이다.

또 오늘날은 대단히 전문화된 사회여서, 이 사회에서 제대로 몫을 감당하기 위해서는 고도의 정보와 지식을 습득해야 한다. 아울러 내적 성숙과 정서 함양을 위한 문화와 예술도 필수적이며, 재창조를 위한 레저 역시 없어서는 안 된다.

이 중 어느 것 하나 중요하지 않은 게 없다. 그렇지만 크리스천들은 이보다는 다른 데 삶의 최우선 순위를 두는 사람들이다. 그것들이 중요하지 않아서가 아니라, 그보다 더 중요한 것이 있음을 알기 때문이다.

마태복음 6장 33절을 통해 주님께서는 이렇게 말씀하셨다.

"너희는 먼저 그의 나라와 그의 의를 구하라."

늘 의식주에 가장 큰 비중을 두고 거기서 헤어나지 못하는 인간들에게, 주님께서는 하나님의 나라와 그의 의를 먼저 구할 것을 요구하신 것이다. 이 구절을 리빙 바이블(*Living Bible*)은 다음과 같이 번역하였다.

"You give God first place in your life."

네 삶의 첫 자리를 하나님께 드리라는 말이다.

크리스천은 자기 삶의 첫 자리, 즉 최우선 순위를 하나님의 나라와 그의 의를 구하는 데 두는 사람들이다. 이 우선 순위가 무시된 크리스천이란 존재할 수가 없다. 하나님께 삶의 최우선 순위를 두는 사람만이 이 세상에서 세상 것의 노예로 살지 않고 세상의 모든 것들을 도구로 삼아 바르게 살아갈 수가 있다.

다시 말하면, 하나님께 삶의 최우선 순위를 두지 않고서는 이 땅에서 바르게 살 도리가 없다는 말이다. 삶의 최우선 순위를 하나님께 두지 않았다는 것은 여전히 허망한 욕망의 노예 상태에 있음을 의미하기 때문이다.

그렇다면 하나님의 나라와 의를 먼저 구한다는 것, 다시 말해 하나님께 삶의 최우선 순위를 둔다는 것은 무엇을 의미하는가? 그것은 무엇보다도 삶의 모든 면에서 하나님과 바른 관계를 맺는 것을 뜻한다. "이 사람은 의로운 사람이다, 저 사람은 참 신앙이 좋은 사람이다"는 말은, 그가 하나님과 바른 관계를 맺고 있음을 뜻한다. 여기까지는 대체적으로 잘 알고들 있다.

이제 좀더 깊이 생각해 보기로 하자. 하나님과 바른 관계를 맺는다는 것은 구체적으로 어떤 삶을 뜻하는가? 그 해답을 창세기에 나타난 노아의 삶을 통해 얻을 수 있다.

창세기 6장 9절은 노아에 대해 이렇게 증거하고 있다.

"노아의 사적은 이러하니라. 노아는 의인이요 당세에 완전한 자라. 그가 하나님과 동행하였으며."

하나님의 의를 구함이 하나님께 삶의 최우선 순위를 두고 하나님과 바른 관계를 맺는 것을 뜻한다면, 성경이 완전한 의인이라 평가하는 노아야말로 하나님과 완전한 관계를 맺었던 사람임에 틀림없다. 도대체 노아는 어떤 사람이었기에 그 같은 성경의 평가를 받을 수 있었는가?

첫째, 창세기 6장 5절이 이렇게 밝히고 있다.

"여호와께서 사람의 죄악이 세상에 관영함과 그 마음의 생각의 모든 계획이 항상 악할 뿐임을 보시고."

하나님 보시기에 당시 세상 모든 사람들은 다 악의 노예들이었다. 오직 노아 한 사람만이 하나님 보시기에 완전한 의인이었다. 이것은 노아가 당시의 풍조에 빠져 있지 않았음을 의미한다. 만약 노아가 당시 세상 사람의 풍조에 빠져 있었다면 그는 결코 그들과 구별되는 의인이 될 수는 없었을 것이다.

그러므로 하나님과 바른 관계를 맺는다는 것은, 세상의 풍조로부터 자기 자신을 격리하는 것을 의미한다. 세상 풍조에 휩쓸려서는 하나님과 바른 관계를 맺는 일은 불가능하다.

사탄이 사람을 유혹할 때 즐겨 쓰는 세 가지 문장이 있다고 한다.

'딱 한 번만이야, 두 번도 아니고 딱 한 번이라니까!'

'이번이 마지막이야. 다시는 안 해도 돼. 마지막으로 한 번만 더 하는 거야!'

이렇게 해서도 성공을 거두지 못할 경우, 사탄은 마지막 비장의 무기를 꺼낸다.

'세상 모든 사람들이 다 그렇게 하는데 뭘 그래? 자, 보라구! 다 그렇게들 하고 있잖아!'

사탄의 마지막 유혹은 세상의 풍조를 따르라는 것이다. 따라서 크리스천이라면 이러한 유혹을 단호히 거부할 수 있어야 한다. 세상 모든 사람들이 자신의 목적을 위해 수단과 방법을 가리지 않는 다고 할지라도, 초등학생 70퍼센트 이상이 이 사회에서는 정직하게 살 수 없다고 응답할 정도로 불의와 거짓이 일상사가 되어 있다 할지라도, 그 풍조를 거스를 수 있는 사람만이 하나님과 바른 관계를 맺을 수 있다. 아니 하나님과 바른 관계를 맺은 사람이라면, 물거품 같은 그 허망한 풍조를 따라 나설 까닭이 없다.

둘째, 창세기 5장 32절은 노아의 삶을 이렇게 전해 주고 있다.

"노아가 오백 세 된 후에 셈과 함과 야벳을 낳았더라."

노아는 결혼한 직후에 젊어서 자식을 얻은 것이 아니었다. 500세가 될 때까지 노아에게는 자식이 없었다. 노아가 살던 시대에 가장 큰 재산은 자식이었다. 자식을 많이 둔 사람이 부자요, 사회적으로 인정받는 사람이었다. 이런 의미에서 보면 노아는 당대의 실패자인 셈이다. 그러나 하나님께는 완전한 의인이란 평가를 받았다.

최선을 다한 뒤에 주어진 결과가 참담한 실패일지라도 그 실패를 겸허하게 받아들이는 사람만이 하나님과 바른 관계에 있는 사람이다. 실패 속에도 하나님의 뜻이 있음을 믿는 까닭이다. 성공하기만을 원하는 사람들, 성공을 우상으로 삼는 자들은 절대로 하나님과 바른 관계를 맺을 수가 없다. 성공을 위헤서라면 수단과 방법을 가리지 않을 것이기 때문이다.

실패를 겸허하게 받아들여야 한다는 말이 게으르거나 방종해도 된다는 의미는 결코 아니다. 최선을 다한 뒤에 주어지는 결과에 대하여 자유한다는 말이다. 결과에 대한 자유함 속에서 바로 하나님과의 바른 관계가 심화되고, 그 자유함 속에서 자신의 계획이 아닌 하나님의 계획이 구체적으로 이루어지는 것이다.

셋째, 창세기 6장 14절에서 15절이 다음과 같이 증거하고 있다.

"너는 잣나무로 너를 위하여 방주를 짓되 그 안에 간들을 막고 역청으로 그 안팎에 칠하라. 그 방주의 제도는 이러하니 장이 삼백 규빗, 광이 오십 규빗, 고가 삼십 규빗이며."

여기에 나오는 길이를 요즘 단위로 환산하면, 방주의 길이는 136.8미터, 넓이는 22.8미터, 높이는 13.7미터이다. 오늘날 축구 경기장의 넓이가 가로 68미터, 세로 105미터인 것을 감안하면, 노아가 만들어야 할 방주가 얼마나 어마어마한 규모인지 능히 짐작할 수 있다.

그런데 성경 어디에도 하나님께서 노아에게 방주를 지을 수 있는 재료를 공급해 주셨다는 말이 전혀 없다. 하나님께서는 단지 명령만 하셨다. 그럼에도 노아는 방주를 완성했다. 그러니 노아가 얼마나 오랫동안, 얼마나 많은 노력을 쏟아 부었겠는가? 만약 한 순간이라도 한눈을 팔았다면 방주의 완성은 불가능했을 것이다.

노아는 하나님의 명령이 떨어지는 순간부터 오직 그 일에 자신의 인생을 걸었던 것이다. 오직 하나님만을 바라보면서 말이다.

내가 전에 섬기던 교회에는 치과의사가 많았다. 재미있는 것은, 그분들과 인사를 할 때면 그분들의 시선이 제일 먼저 닿는 곳이 언제나 나의 치아였다는 것이다. 어느 구두 디자이너가 쓴 글을 보면, 자신이 사람을 만날 때 제일 먼저 보는 것은 상대방 구두라고 한다. 나는 제일 먼저는 고사하고, 이제껏 다른 사람의 구두를 눈여겨본 적이 한 번도 없다.

조선호텔 지하에 이발소가 있다. 한때 조선호텔이 장안에서 제일 큰 호텔로 이름을 날릴 때에는, 한국의 웬만한 사람은 다 그 곳에서 머리를 깎았다. 당시 소련의 고르바초프 대통령이 한국을 다녀간 직후, 그 이발소 주인이 한 말이 있다.

"고르바초프 대통령의 머리를 꼭 한 번 깎아 보고 싶었습니다. 그분의 머리 앞뒤가 올록볼록 튀어나와 있어서 내가 손을 대면 굉장히 멋진 머리가 되겠다고 생각했지요."

그의 관심은 언제나 사람의 머리에 있었던 것이다.

오늘, 젊은 그대들의 경우는 어떤가? 지금 그대들에게 하나님께로부터 주어진 일은 무엇인가? 그대는 지금 노아처럼, 치과의사처럼, 이발사처럼 오직 그 일에 집중하고 있는가? 이와 같은 집중 속에서 하나님과의 바른 관계는 더욱 견고해진다. 그분께서 주신 소명에 집중한다는 것은 바로 그분께 집중하고 있음을 의미하는 까닭이다.

넷째, 창세기 6장 19절이 이렇게 밝혀 주고 있다.

"혈육 있는 모든 생물을 너는 각기 암수 한 쌍씩 방주로 이끌어

들여 너와 함께 생명을 보존케 하되."

이것은 하나님의 심판에 대비하여 모든 생물을 방주로 이끌어 들여 그 생명을 보존케 하라는 하나님의 명령이다. 만약 노아가 하나님의 말씀을 여기까지만 듣고 급한 마음으로 모든 짐승들을 잡으러 뛰쳐나갔다면, 과연 몇 쌍의 짐승이나 잡아왔을까? 노아의 실력으로 코끼리나 호랑이를 잡을 수 있었겠는가? 하늘을 나는 독수리는, 땅 속에 숨어 있는 두더지는 또 무슨 재주로 잡았겠는가?

그런데 창세기 6장 20절이 다음과 같이 계속되고 있다.

"새가 그 종류대로, 육축이 그 종류대로, 땅에 기는 모든 것이 그 종류대로 각기 둘씩 네게로 나아오리니 그 생명을 보존케 하라."

하나님의 말씀인즉, '그 모든 짐승들이 네게로 나아오도록 내가 만들어 줄 것인즉 너는 방주 앞에서 그것들을 안으로 인도하기만 하라'는 의미이다. 노아는 하나님의 말씀을 '끝까지' 듣는 사람이 었다. 그렇기에 하나님의 말씀 첫 마디만 듣고 속단하여 짐승을 잡으러 뛰쳐나가는 우를 범하지 아니하였다.

이것은 대단히 중요하다. 사람은 누구나 자신이 바라는 욕구를 지니고 있기에, 그 욕구에 부응하는 하나님의 말씀이 주어진다고 생각하는 순간, 그 다음 말을 듣지 않는다. 그래서 하나님과의 관계가 깨어지곤 한다.

400년 동안 이집트에서 노예 생활을 하던 이스라엘 백성에게 하나님께서는 "내가 너희를 해방시켜 줄 것인즉 너희는 반드시 나를 섬기라"고 말씀하셨다. 그러나 불행하게도 이스라엘 백성은 해방시켜 주실 것이라는 그 말씀까지만 듣고, 하나님을 반드시 섬기라는 명령은 놓쳐 버렸다. 그래서 홍해가 갈라지는 것을 보고도, 반석에서 물이 터지는 것을 보고도, 매일매일 하늘에서 떨어지는 만나와 메추라기를 먹고도, 그들은 하나님을 섬기는 일에 실패했고 그 결과 광야에서 그들의 생은 끝나고 말았다.

제자들은 주님께서 십자가에 못박혀 돌아가실 것이란 말씀만을 듣고 모두 근심에 빠졌다. 그들은 사흘 후에 부활할 것이라는 마지막 말을 놓쳤던 것이다. 그 결과 주님께서 십자가에 못박히는 가장 결정적인 순간에, 그들은 허겁지겁 도망가는 수치스런 배신자가 되고 말았다.

크리스천들이 가장 좋아하는 성경 구절 가운데 빌립보서 4장 13절이 있다.

"내게 능력 주시는 자 안에서 내가 모든 것을 할 수 있느니라."

이 구절을 좋아하지 않는 크리스천들은 참 드물다. 그러나 바로 그 앞 구절인 12절을 알고 있는 사람 또한 극히 드물다. 12절은 이렇게 말하고 있다.

"내가 비천에 처할 줄도 알고 풍부에 처할 줄도 알아 모든 일에 배부르며 배고픔과 풍부와 궁핍에도 일체의 비결을 배웠노라."

이게 무슨 말인가? 모든 물질적 욕망을 버리고 그 욕망을 뛰어넘었더니 그제야 주님의 능력 속에서 모든 것을 할 수 있었다는 의미이다. 그런데 사람들은 이 앞구절은 듣지 않고 뒷구절만 붙잡고서는, 거기에 자기의 욕망을 더해 모든 것을 할 수 있다고 기를 쓰곤 한다. 이러고서야 어찌 하나님과의 관계가 뒤틀리지 않을 수 있겠는가!

하나님의 말씀을 처음부터 끝까지 귀담아 듣는 사람만이 하나님과 바른 관계를 온전히 유지할 수 있다는 것은, 아무리 강조해도 지나침이 없다.

다섯째, 창세기 7장 9절에서 11절의 증언이다.

"하나님이 노아에게 명하신 대로 암수 둘씩 노아에게 나아와 방주로 들어갔더니, 칠 일 후에 홍수가 땅에 덮이니 노아 육백 세 되던 해 이월 곧 그 달 십칠일이라."

홍수가 시작된 날은 노아가 600세 되던 해 2월 17일이었다. 그리고 노아가 방주 속으로 들어간 날은 홍수가 시작되기 7일 전이었다. 그렇다면 노아는 그해 2월 10일에 방주 속으로 들어갔다는 말이 된다. 그리고 창세기 8장 13절에서 14절이 이렇게 이어지고 있다.

"육백일 년 정월 곧 그 달 일일에 지면에 물이 걷힌지라. 노아가 방주 뚜껑을 제치고 본즉 지면에 물이 걷혔더니, 이월 이십칠일에 땅이 말랐더라."

홍수가 나던 해 2월 10일에 방주 속으로 들어간 노아가 방주의 문을 열고 물이 다 마른 땅으로 나온 날은 이듬해 2월 27일이었다. 사람들은 대개 노아가 방주 속에 40일 정도 들어가 있었다고 생각한다. 그러나 그것은 틀린 생각이다. 40일이란, 홍수가 쏟아져 내린 기간일 뿐이다.

40일 동안의 홍수가 멈춘 뒤에 150일 동안 물이 온 땅 위를 넘실거리고 있었다(창 7:24). 그리고 그 거대한 물이 지면에서 완전히 말랐던 날이 601년 2월 27일이었다. 그렇다면 노아가 방주 속에 거하고 있었던 기간은 무려 1년 17일이나 된다. 참으로 긴 기간이다.

사람들은 노아의 방주를 대단히 은혜스럽고 성스러운 곳으로 생각한다. 그러나 실제로는 그렇지 않다. 그 방주는 거대한 동물원이었다. 1년 17일 동안 방주 속에서 온갖 짐승들이 밤낮으로 울어 대고, 그 짐승들에게 매일매일 사료를 먹여야 하고, 또한 짐승들이 배설물을 쏟아 내는 광경을 상상해 보라. 얼마나 힘들고 곤혹스러웠겠는가? 방주는 은혜의 성소라기보다는 오히려 고통과 괴롬의 현장이었다.

웬만한 사람 같으면 아마 그 방주 속에서 1년 이상을 거한 후에 정신병자가 되었을는지도 모른다. 그런데도 노아는 그 긴긴 날들을 묵묵히 이겨냈다. 그는 인내의 사람이었던 것이다. 이처럼 오직 인내의 사람만이 하나님과 바른 관계를 더욱 넓혀 갈 수 있다.

"너희에게 인내가 필요함은 너희가 하나님의 뜻을 행한 후에 약속을 받기 위함이라"(히 10:36).

하나님의 약속을 받기 위해서 왜 우리에게 인내가 필요한가? 이유는 간단하다. 이 인내의 기간 동안 우리의 믿음이 참믿음으로 단련되어야, 하나님의 약속이 성취된 이후에 하나님을 등지는 어리석은 자가 되지 않을 것이기 때문이다.

하나님을 믿기 전보다 믿고 난 뒤에 도리어 우리의 상황이 악화될 수 있다. 우리가 계획한 일이 무참하게 무산될 수도 있다. 그러나 그 때야말로 하나님께서 우리에게 인내를 심어 주고 계시는 때임을 잊지 말아야 한다. 방주 속에 비록 악취와 소음 그리고 괴롬이 있다 할지라도, 지금 방주 밖에서는 물이 말라 가고 찬란한 무지개가 떠오르고 있음을 믿는 사람만이 인내를 키울 수 있다. 그리고 그 인내의 발판 위에서 하나님과의 관계는 그 키를 더하는 법이다.

노아가 이처럼 하나님과 온전히 바른 관계를 맺어 갈 때, 하나님께서는 그를 어떻게 해 주셨는가?

창세기 7장 17절에서 21절은 이렇게 증거하고 있다.

"홍수가 땅에 사십 일을 있었는지라. 물이 많아져 방주가 땅에서 떠올랐고, 물이 더 많아져 땅에 창일하매 방주가 물 위에 떠 다녔으며, 물이 땅에 더욱 창일하매 천하에 높은 산이 다 덮였더니 물이 불어서 십오 규빗이 오르매 산들이 덮인지라. 땅 위에 움직이는 생물이 다 죽었으니, 곧 새와 육축과 들짐승과 땅에 기는 모든 것과 모든 사람이라."

쏟아지는 홍수 속에서 이 땅에 있는 모든 생명체는 죽어 갔다. 그러나 홍수가 점점 심해질수록 노아가 타고 있는 방주는 점점 더 높이 올라갔다. 방주가 올라가는 만큼 노아도 높아졌다. 하나님과 바른 관계를 맺는 사람은 하나님께서 이처럼 높이시고 존귀케 하신다. 대체 어느 정도까지 높여 주셨는가?

홍수로 인해 천하의 높은 산도 물 속에 다 잠겼다. 그리고 그 높은 산 위 15규빗에 이르기까지 물이 찼다. 15규빗이라면 6.84미터이다. 홍수가 나 물이 범람하기 시작하자 사람들은 높은 곳으로 피신했을 것이다. 물이 차오를수록 더 높은 곳을 찾다가 마침내 천하의 제일 높은 산꼭대기까지 찾았을 것이다. 그러나 노아는 그보다 6.84미터 더 위에 있었다.

6.84미터라면 대단한 차이가 아니라고 여기는 사람이 있을지도

모른다. 그러나 그 차이를 비교하는 것 자체가 불가능할 정도로 큰 차이다. 그것은 생(生)과 사(死)의 차이요, 구원과 심판의 차이요, 영원과 유한의 차이다. 천하에서 제일 높은 산꼭대기로 가장 힘 센 권력자도 올라갔을 것이고 가장 돈을 많이 가진 사람들도 올라갔을 것이다. 그리고 그들은 그 곳에서 모두 물 속에 잠겨 죽고 말았다. 그러나 노아는 결코 그들이 다다를 수 없는 6.84미터 위에 살아 있었다. 하나님께서 자신과 바른 관계 속에 있는 그를 살리시고 높여 주신 까닭이다.

로마 제국 때에도 높은 자들은 얼마든지 있었다. 부유한 자들도 부지기수였다. 그들에 비하면 바울과 베드로는 아무것도 가진 것이 없었다. 그럼에도 그들은 세상의 가장 높은 곳보다도 6.84미터 더 높은 자리에 있었다. 그 곳은 로마 황제의 권력으로도 다다를 수 없는 곳이었다. 하나님의 나라와 그의 의를 먼저 구한 그들이었기에, 오직 하나님에 의해 존귀케 된 것이다.

그러므로 젊은 벗들이여, 세상에 해야 할 일이 수없이 많다 할지라도, 그대 삶의 우선 순위를 먼저 하나님께 두어야 한다. 하나님의 나라와 그의 의를 먼저 구하는 자가 되어야 한다. 날마다 하나님과 바른 관계를 넓혀 가야 한다.

이 혼탁한 세상에서 그대 청년은 이 시대의 노아가 되어야 한다. 그리할 때 하나님께서 그대를 통하여 이 땅에 새 역사를 일구실 뿐 아니라, 그대를 이 땅의 가장 높은 곳보다 15규빗 더 높이실 것이다.

크리스천과 용기

마음을 강하게 하고 담대히 하라 두려워 말며 놀라지 말라
네가 어디로 가든지 네 하나님 여호와가 너와 함께 하느니라 수 1:9하

어떤 분에게서 이런 이야기를 들었다. 그분이 학창 시절에 어느
청년 집회에 참석을 했다고 한다.

집회의 강사가 청년들의 감정을 한껏 고조시키면서 주님을 진
정으로 믿는 청년이라면 마땅히 선교사로 자원해야 한다는 결론
을 맺은 뒤, 이제 선교사가 되기로 결단한 사람은 다 그 자리에서
일어나라고 말했다. 그 집회의 분위기상, 만약 일어나지 않으면
믿음 없는 사람이 될 처지였다. 어쩔 수 없이 청년들 거의 모두가
다 일어났다. 그런 상황 속에서 끝까지 일어나지 않고 자리를 지
키는 데는 정말 용기가 필요했다고 말했다.

이런 이야기는 우리 주위에서 어렵지 않게 접할 수 있다.

믿음이란 분위기나 시대 조류에 휩쓸리는 것을 의미하지 않는
다. 모든 사람들이 다 휩쓸려도 깨어 있어야 믿음인 것이다. 그러

므로 믿음은 용기 없이는 불가능하다.

나는 그분의 이야기를 듣고 나서 이런 생각을 해 보았다.

'그 날 집회에서 일어섰던 수많은 젊은이들, 그리고 그 강사가 가는 곳마다 일어서지 않을 수 없었을 숱한 젊은이들 가운데 막상 선교사가 된 사람은 도대체 몇 사람이나 될까? 선교사들이 되지 못한 나머지 청년들은 주님 앞에서 얼마나 양심의 갈등을 겪고 있을까?'

믿음이란 곧 용기다. 용기가 있을 때만이 분위기에 휩쓸리지 않을 수 있고, 양심의 갈등을 겪지 않을 수 있다.

이스라엘 백성들이 출애굽 한 뒤에 광야를 거쳐 가나안 땅의 관문인 가데스 바네아에 도착했을 때 일이다. 모세가 열두 사람의 정탐꾼으로 하여금 40일 동안 가나안 땅을 탐지케 했다. 정탐을 마친 열두 사람이 돌아와 정탐 결과를 보고했다.

먼저 열 사람의 정탐꾼들은 그 곳에 들어가서는 안 될 이유를 조목조목 밝혔다. 그 곳에 사는 사람들은 모두 거인이며, 그들에 비한다면 이스라엘 백성은 메뚜기에 불과하기에 절대로 들어갈 수 없다고 입을 모아 말했다. 열두 명 중에서 무려 열 명이 말이다. 그 절대다수의 보고를 들은 이스라엘 백성들은 모두 대성통곡하였다. 분위기는 이미 가나안을 포기하는 쪽으로 완전히 기울어 있었다.

그럼에도 불구하고 제일 마지막 보고자로 나선 여호수아와 갈렙은 그 분위기에 휩싸이지 않았다. 그 두 사람은, 가나안 땅에 들어갈 수 있고 또 들어가야만 한다고 말했다. 전체적인 분위기와는 전혀 상반된 주장이었다. 그래서 이스라엘 백성들은 그 두 사람을 돌로 쳐죽이려 했지만, 그들은 결코 굴복하지 않았다. 그들은 진정 용기 있는 사람이었고, 그렇기에 그들은 양심의 고통을 느낄 필요가 없었다.

이처럼 참믿음이란 용기다. 용기 없는 신앙이란 속빈 강정에 불과할 뿐이다.

믿음이 용기를 의미한다면, 이 때의 용기란 대체 무엇에 대한 용기를 의미하는가?

첫째, 하나님의 말씀에 순종하는 용기이다.

하란에 살던 아브라함에게 하나님의 말씀이 임했다. 그의 나이 이미 75세였다. 그런데 하나님께서는 본토 친척 아비 집을 떠나 당신이 지시하시는 곳으로 가라고 말씀하셨다.

그 때는 지금처럼 통신과 교통 그리고 정보가 발달되지 않았던 시대다. 그럼에도 아브라함은 말씀에 순종하여 떠났다. 그가 떠난 것은 그 땅에 대한 사전 지식이 있어서가 아니었다.

히브리서 11장 8절의 증언이다.

"믿음으로 아브라함은 부르심을 받았을 때에 순종하여 장래 기업으로 받을 땅에 나갈새 갈 바를 알지 못하고 나갔으며."

아브라함은 자신이 가는 길조차 제대로 알지 못한 채 하나님의 말씀에 순종했다. 도대체 목적지가 어디인지, 어떤 곳인지도 모르면서 어떻게 삶의 터전을 버리고 떠나갈 수 있었는가? 그는 용기 있는 사람이었기에 하나님의 말씀에 순종할 수 있었던 것이다.

그러나 그의 조카 롯은 달랐다. 그는 보이지 않는 하나님의 말씀에 순종할 수 있는 용기를 갖고 있지 못했다. 그는 그저 눈에 보이는 사람을 믿을 뿐이었다. 그래서 눈에 보이는 사람만을 좇다가 결국은 소돔과 고모라에서 패가망신하고 말았다.

미디안 광야에서 양을 치는 모세에게 하나님의 말씀이 임했다. 이집트로 돌아가서 당신 백성을 해방시키라는 명령이었다. 그 때 모세는 이미 인생의 황혼기에 접어든 팔십 노인이었다. 그뿐 아니라 40세가 되기까지 이집트 왕궁에서 왕자의 신분으로 자랐던 모세는, 이 세상 누구보다도 이집트의 군대가 얼마나 막강한지를 잘 알고 있었다. 당시 이집트의 군대는 명실공히 세계 최강이었다.

그럼에도 하나님께서는 모세에게 칼 한 자루, 창 한 자루 쥐어 주시지 않았다. 단지 모세의 손에 들려 있는 마른 막대기만을 들고 가서 이스라엘 백성을 해방시키라고 하셨으니, 이 얼마나 무모한 말씀인가? 그렇건만 모세는 그 말씀에 순종했다. 그에게 하나님의 말씀을 믿는 용기가 없었다면 불가능했을 일이다.

그에 비해 아론은 눈에 보이지 않는 하나님의 말씀을 믿을 용기가 없었다. 그 역시 사람만 믿고 사람을 좇아갔다. 그러다가 모세가 보이지 않자 금송아지를 만들어 섬기는 어리석음을 범하고 말았다.

나사렛에 한 남자와 약혼한 마리아란 처녀가 있었다. 결혼 날짜가 얼마 남지 않았을 때였다. 하나님의 말씀이 임했다.

"네가 성령으로 예수를 잉태할 것이다."

이 말이 무엇을 의미하는지 아는가? 당시에는 약혼한 처녀가 남의 아이를 가지면 파혼당하는 것은 말할 것도 없고, 율법에 따라 돌로 맞아 죽게 되어 있었다. 그것을 모를 리 없는 마리아가 "말씀대로 내게 이루어지이다"라고 순종했다. 그녀 역시 용기 있는 사람이었다. 용기 있는 그녀 속에서 말씀이신 예수 그리스도께서 잉태되신 것은 결코 우연이 아니다.

둘째, 주어진 상황을 수용하는 용기이다.

용기가 있는 사람만 주어진 상황을 믿음으로 수용할 수 있다. 용기 없는 사람은 자기의 계산과 어긋난 상황이 주어지면 회피하고 도피한다. 그래서 하나님이 주시는 그 상황의 의미와 가치를 놓쳐 버리고 만다. 그러나 진정 용기 있는 사람은 어떤 상황이라도 그것을 적극적으로 수용하면서 정면으로 돌파한다. 그 결과 그 상황 속에 예비하신 하나님의 은총을 발견할 뿐 아니라 모든 상황을 새로운 도약의 발판으로 삼는다.

요셉의 경우를 보자. 부잣집 아들 요셉이 어느 날 종으로 팔려가 이집트에서 종살이에 옥살이까지 하는 신세로 전락했다. 그런데도 요셉은 한 번도 그 상황에서 도피하려고 하지 않았다. 그 모든 상황을 온전히 믿음으로 수용했다. 그는 정말 용기 있는 사람이었다. 그리고 그러한 상황 가운데서 하나님의 훈련을 거친 요셉은 이집트의 국무총리가 되었다.

사도 바울도 마찬가지다. 수없이 돌에 맞고 갖은 위협과 핍박을 받았지만, 그는 자기 앞에 전개되는 상황으로부터 도피하려 하지 않았다. 더구나 그에게는 지병이 있었다. 치유를 위해 하나님께 간절히 기도드렸지만 고쳐 주시지 않았다. 그 상황까지도 그는 믿음으로 기꺼이 받아들였다.

바울의 모습을 한번 그려 보라. 남루한 옷을 입고 쇠사슬에 묶여 그나마 지병으로 약해진 몰골을……. 얼마나 초라한가? 그러나 그는 진정 용기 있는 크리스천이었다. 주어진 상황을 회피하지 않았던 바울 한 사람의 용기가 로마의 역사를 새롭게 했다.

영국의 시인이며 사상가였던 존 밀턴은 장님이었다. 그러나 그는 주어진 상황을 수용하는 용기를 지녔기에 바로 그 상황 속에서 〈실락원〉을 쓸 수 있었다.

존 번연은 모함을 받아 10년 동안 옥살이를 했지만, 바로 그 기간 동안 불후의 명작인 〈천로역정〉을 남겼다. 그 역시 상황을 두려워 않는 용기를 갖고 있었다.

용기 없이는 절대로 주어진 상황을 수용할 수 없다. 상황을 수용하는 용기 없이는, 하나님께서 주신 상황의 절대적 가치를 자신의 것으로 삼지 못한다.

셋째, 순종해야 될 사람에게 순종하는 용기이다.

용기 없이 순종해야 될 사람에게 순종한다는 것은 불가능하다. 아브라함과 이삭을 생각을 해 보자. 100세에 아브라함은 아들을 낳고 이름을 이삭이라 했다. 이삭이 혼자 나뭇짐을 지고 산을 걸을 만한 나이가 되었을 때, 이를테면 15세 정도 되었을 때였다. 그때 하나님께서 115세 된 아브라함에게 그 귀한 아들 이삭을 번제로 바치라고 명령하셨다. 그리고 아브라함은 하나님의 말씀에 순종하기 위해 아들을 데리고 모리아 산으로 갔다.

도대체 아들을 제물로 바치라는 말씀에 어떻게 순종할 수 있었겠는가?

히브리서 11장 19절은 이렇게 증거하고 있다.

"저가 하나님이 능히 죽은 자 가운데서 다시 살리실 줄로 생각한지라."

아브라함은 분명한 믿음을 갖고 있었다.

'하나님께서 가나안 땅을 내 자식 이삭에게 주신다 약속하셨으므로 이삭은 절대로 죽지 않을 것이다. 이삭이 죽는다면 하나님의 약속은 거짓이 되기 때문이다. 혹 죽는 경우가 발생한다 할지라도 하나님께서는 반드시 다시 실려 주실 것이다.'

얼마나 아름다운 믿음인가? 그러나 그것은 아버지의 믿음이었다. 이삭은 아브라함이 아니다. 그 아이는 겨우 15세 정도밖에 되지 않았다.

어느 날 아버지가 함께 번제를 드리러 가자며 이삭을 데리고 모리아 산으로 갔다. 산 아래에서부터는 아버지의 명령에 따라 이삭이 나뭇단을 지고 산을 올랐다. 산 정상에 당도하자 아버지는 이삭을 마치 제물처럼 잡으려 했다. 그것이 하나님의 명령이라고 말하면서 말이다.

그런데 아버지가 칼을 들어 내리치려는 마지막 순간까지 이삭은 단 한 번도 저항하지 않았다. 만약 15세 소년 이삭이 도망가려고만 했다면 115세 된 늙은 아버지를 따돌리지 못했겠는가?

이삭이 자신을 잡으려는 아버지에게 항거하지 않고 순종한 것은 그가 진정한 용기를 지니고 있었기 때문이다. 이삭 역시 믿음의 자식이었다. 그리고 그의 믿음은 순종해야 할 사람에게 순종하는 용기로 나타났다. 부모에게 순종하는 것도, 스승에게 순종하는 것도, 부부 간에 순종하는 것도, 형제가 서로 순종하는 것도 용기 없이는 불가능하다.

참된 믿음은 참된 용기이다. 하나님의 말씀에 순종하는 용기이고, 주어진 상황을 수용하는 용기이며, 사람에게 순종하는 용기이다.

우리가 이 험악한 세상에서 크리스천으로 살아간다는 것 자체가 용기 없이는 불가능한 일이다. 용기 없이 거짓이 만연한 이 세상을 정직하게 살아갈 수 있겠는가? 용기 없이 언제나 진실하게 바른 삶을 일구어갈 수 있겠는가? 용기 없이 사람을 용서할 수 있겠는가? 용기 없이 십자가를 질 수 있겠는가? 내 개인적인 경험상 용기 없이는 모두 다 불가능한 일이다.

사랑할 수 없는 사람을 사랑하는 것도 용기이다. 모함을 받고서 모함하지 않는 것도 용기 없이는 불가능하다. 중요한 것은 그대가 정말 용기를 다하는 참된 크리스천이 될 때 그대를 통하여 하나님의 새 역사는 반드시 이루어진다는 사실이다.

내가 대학을 졸업하고 외국인 회사에 취직했을 때, 외국인들이 내게 제일 먼저 시켰던 일은 탈세와 관련 공무원들에게 뇌물을 주는 것이었다. 외국인을 위해 불법을 저지른다는 것이 그 당시 나로서는 참으로 용납하기가 어려웠다. 그 때 내 나름대로 한 가지 결심한 것이 있었다. 이 다음에 내가 직접 사업을 하게 된다면 결코 탈세하지 않으리란 결심이었다.

그 후 1974년에 홍성사를 설립하고 결심한 대로 탈세를 하지 않았다. 그러나 그것은 무척이나 용기가 필요한 일이었다. 거래처들 대부분이 세무 자료를 누락시켜 주기를 원했다. 내가 응하지 않자 불매 운동도 벌였다. 세무서에서는 내가 자료를 100퍼센트 신고해도 믿어 주지 않았다. 그렇지만 나는 포기하지 않았다. 그 때도 용기가 필요했다.

세월이 흐른 지금 해당 세무서는 홍성사가 고의로 탈세하지 않는 기업이라는 것을 믿는다. 홍성사와 거래하는 모든 업체들은 세무 자료를 100퍼센트 발행하는 것을 당연시한다. 더 중요한 것은 이로 인해 대한민국 출판계에서 탈세하지 않으려는 의지를 가진 사람은 얼마든지 그 의지를 실천할 수 있는 풍토가 마련되었다는 사실이다. 이것은 내 이야기가 아니라, 출판계와 서점계 사람들이 인정하는 이야기이다.

믿음은 용기이다. 쉬운 일이라면 용기 자체가 필요 없다. 새 역사는 용기 있는 자들을 통해서만 이루어진다.

그렇다면 이 용기의 출처는 어디이겠는가? 그 출처가 자기 자신이겠는가? 만약 용기의 출처가 자기 자신이라면 그것은 용기가 아니라 만용일 뿐이다. 만용으로는 남에게 질 수도, 남을 용서할 수도 없다. 때로는 질 수도 있고, 포기할 수도 있으며, 짓밟힐 수도 있는, 크리스천의 참된 용기의 출처는 과연 어디인가?

여호수아서는 모세의 후계자인 여호수아에 관한 내용이다. 여호수아 1장을 통하여 하나님께서는 여호수아에게 "마음을 강하게 하라, 담대히 하라, 두려워 말라, 놀라지 말라"고 반복해서 말씀하고 계신다. 이 사실은 무엇을 의미하는가? 갑자기 모세의 후계자로 지명된 여호수아가 두려움에 떨고 있었음을 의미한다. 그렇기에 하나님께서는 여호수아에게 용기를 가지라고 격려하신 것이다. 다시 말해 믿음이란 용기임을 하나님께서 여호수아에게 일깨워 주신 것이다.

그런데 하나님께서는 대체 무엇을 근거로 용기를 가지라고 말씀하셨는가?

여호수아 1장 5절에서 6절을 통해 하나님은 이렇게 말씀하고 계신다.

"너의 평생에 너를 능히 당할 자 없으리니, 내가 모세와 함께 있던 것 같이 너와 함께 있을 것임이라. 내가 너를 떠나지 아니하며 버리지 아니하리니, 마음을 강하게 하라, 담대히 하라."

또 9절을 통해서는 이렇게 말씀하신다.

"내가 네게 명한 것이 아니냐, 마음을 강하게 하고 담대히 하라. 두려워 말며 놀라지 말라. 네가 어디로 가든지 네 하나님 여호와가 너와 함께하느니라."

용기의 근원, 용기의 출처는 오직 여호와 하나님이심을 하나님께서 친히 밝혀 주고 계신다.

여호수아에게처럼, 하나님께서 그대와 함께하실 것인즉 용기를 가지라신다. 어떻게 그대가 남을 용서할 용기를 가질 수가 있는가? 하나님께서 그대와 함께 계시기 때문이다. 어떻게 환란 속에서 인내할 용기를 가질 수 있는가? 그분이 그대와 함께하시기 때문이다. 어떻게 십자가를 지는 용기를 품을 수가 있는가? 천지를 창조하신 전능하신 하나님께서 그대와 함께하시기 때문이다.

지구상에서 사람이 살고 있는 가장 높은 곳은 티벳 고원 해발 6300미터 지점에 있는 꼴라란둥이다. KBS 취재팀이 그 곳에 사는 까르마 씨의 텐트로 취재차 찾아간 날의 기온은 영하 20도의 강추위였다. 얼마나 추웠던지 카메라의 작동이 멈출 정도였다. 그런데 잠잘 시간이 되자 까르마 씨는 모포 한 장을 들고 텐트 밖으로 나가는 것이었다. 의아하게 생각한 기자가 까르마 씨에게 어디를 가느냐고 묻자 그는 이렇게 대답했다.

"저는 밖에 있는 제 양떼를 이리떼로부터 보호하기 위해서 매일

밖에서 잡니다.”

그리고 그는 모포 한 장으로 몸을 감싸더니 양들 옆에서 잠을 자는 것이었다. 영하 20도의 그 강추위 속에서 말이다. 텔레비전으로 그 화면을 보면서 나는 얼마나 큰 감동을 받았는지 모른다.

생각해 보라, 이 땅의 청년들이여!

아는 것도 없고 가진 것도 없는 그 고지의 목자도 자기 양떼를 지키기 위해 영하 20도의 추위를 아랑곳하지 않고 그 곁에서 함께 잠을 자는데, 그대를 사랑하시는 하나님께서 어찌 까르마보다 못하시겠는가? 그분께서 그대 곁에 계심을 믿는다면 두려워할 것이 무엇이겠는가?

하나님께서는 그대와 함께하신다. 그분이 그대와 함께하시기에 그대는 참으로 용기 있는 크리스천이 되어야 한다.

어린아이가 아버지와 함께 오솔길을 걸어가다가 불현듯 아버지에게 물었다.

“아빠, 용기가 뭐예요?”

아버지가 도로 물었다.

“너는 용기를 무엇이라고 생각하니?”

아이가 대답을 했다.

“나보다 덩치가 더 큰 아이가 다른 친구를 괴롭힐 때, 내가 나서서 그 덩치 큰 아이를 혼내 주는 거예요.”

“그래, 그것도 용기일 수 있지. 하지만 그건 참된 용기가 아니야.”

그러면서 아버지는 말없이 아이의 손을 잡고 계속 산길을 걸어갔다. 산모퉁이를 돌아설 때 마침 그 곳에 제비꽃 한 송이가 아름

답게 피어 있었다. 아버지가 그 꽃을 가리키면서 아이에게 말했
다.

"용기란 바로 저런 거야."

아무도 보지 않는 산 속에서, 그 누구의 갈채도 없지만, 생명의
몫을 다하는 것보다 더 큰 용기는 없다.

오늘 이 시대는 투사를 요구하지 않는다. 오늘 이 시대는 진실
한 신자를 요구한다. 진실한 신자만이 누가 보든 보지 않든, 용기
있게 주어진 생명의 몫을 다하기 때문이다. 하나님은 그런 용기의
사람을 통하여 이 땅의 역사를 바꾸어 가신다.

크리스천과 효도

하나님이 나를 위하여 어떻게 하실 것을 내가 알기까지
나의 부모로 나와서 당신들과 함께 있게 하기를 청하나이다 **삼상 22:3하**

성경은 하나님의 말씀이다. 그렇지만 하나님이 직접 성경을 쓰신 것은 아니다. 인간에게 영감을 주셔서 인간이 성경을 기록하게 하셨다. 그런데 성경 중에는 하나님께서 사람의 손을 빌리지 않고 친히 쓰신 부분이 있다. 과연 어느 부분일까?

출애굽기 24장 12절이 이렇게 증거하고 있다.

"여호와께서 모세에게 이르시되, 너는 산에 올라 내게로 와서 거기 있으라. 너로 그들을 가르치려고 내가 율법과 계명을 친히 기록한 돌판을 네게 주리라."

여기서 돌판이란 십계명으로서, 그것만은 하나님이 친히 기록하셨음을 알 수 있다. 그 내용이 얼마나 중요했으면, 신명기 9장 10절의 표현처럼, 하나님께서 "친수"(親手)로 직접 쓰셨겠는가? 따라서 십계명은 지켜도 좋고 지키지 않아도 좋은 도덕률이 아니다. 하나님을 믿는 사람이라면 무릇 절대 복종해야 할 하나님의 절대적인 명령이다.

하나님께서는 십계명을 두 돌판에 친히 쓰셔서 모세에게 전해 주셨다. 첫번째 돌판에는 제1계명부터 제4계명까지, 이른바 하나님과의 관계에 대한 계명이 기록되어 있다. 두번째 돌판에는 제5계명부터 제10계명까지 사람과의 관계에 대한 계명이 기록되어 있다. 그런데 사람과의 관계에 대한 하나님의 첫 명령이 바로 "네 부모를 공경하라"는 제5계명이다. 부모 공경이 대인 관계의 근본임을 하나님께서 친히 밝히신 것이다.

부모라고 해서 성자인 것은 아니다. 부모 역시 자식과 똑같은 인간이다. 그래서 허물도 많고, 결점도 많을 수 있다. 자식이 자라면서 부모로부터 많은 상처를 받았을 수도 있다. 그럼에도 불구하고 하나님께서는 자식에게 부모를 공경하라고 명령하신다.

그렇다면 왜 우리는 부모를 공경해야 하는가?

그것은 첫째, 자식에게 부모란 '눈에 보이지 않는 하나님의, 눈에 보이는 이 땅의 대리인'이기 때문이다.

고린도후서 1장 19절 하반절이 이렇게 증거하고 있다.

"하나님의 아들 예수 그리스도는 예 하고 아니라 함이 되지 아니하였으니 저에게는 예만 되었느니라."

하나님과 예수님의 관계는 예수님이 하나님께 일방적으로 "예"(Yes)하는 관계였다. 주님이 하나님께 언제나 "예" 하셨다면, 하물며 우리와 같은 사람이야 두말 할 나위가 있겠는가?

믿음은 순종이요, 순종이란 곧 "예"이다. 무엇이 경건 훈련인가? 신앙 훈련은 무엇인가? 하나님께 "예" 하는 것이다. 어떤 경우에도 "예" 하는 것, 그것이 참된 신앙이다. 따라서 눈에 보이지 않는 하나님께 어떤 경우든지 "예" 하기 위해서는, 눈에 보이는 사람들 중 누군가에게 무조건 "예" 하는 훈련을 거듭해야 한다. 그 대상으로 하나님께서 우리 곁에 두신 존재가 바로 우리 부모인 것이다.

때로는 부모가 내게 무리해 보이는 것을 요구할 수도 있다. 내 생각과 어긋나는 것을 바랄 수도 있다. 그러나 그 때에도 우리는 "예" 할 수 있어야 한다. 하나님께서는 그와 같은 우리 부모를 통해 우리 자신을 훈련시키고 계시기 때문이다. 눈에 보이는 부모에게 "예" 하지 않는 사람이 눈에 보이지 않는 하나님께 언제나 "예" 할 수 있다는 것은 두말 할 것 없이 거짓말이다.

둘째, 우리의 생명이 부모를 통해서 왔기 때문이다.

나는 전주 이(李) 가다. 혈액형은 O형이며 고향은 부산이다. 이것은 내가 선택한 것이 아니다. 하나님께서는 지금의 '나', 즉 전주 이 가에 O형 혈액을 가지고 부산에서 태어나 자란 내가 필요하셨기에, 하나님께서는 먼저 그 조건을 지닌 나의 부모를 선택하신 것이다. 나의 부모가 아니었더라면 지금의 모습과 같은 이재철은 절대로 존재할 수 없다.

어떤 사람은 이렇게 불평할지도 모른다.

"난 도대체 원치 않는 상황에서 태어났기 때문에 차라리 태어나지 않았더라면 더 좋았을 것이다."

그러나 이는 허무맹랑한 거짓말이다. 과연 지금 그 사람이 서 있는 곳의 건물이 지진으로 곧 무너져 내릴 상황임에도, "그래, 이제야 죽게 되었구나" 하고 쾌재를 부르며 죽음을 맞이할 수 있겠는가? 열이면 열, 다 허겁지겁 도망가기에 바쁠 것이다. 모두 자신의 생명을 그만큼 소중하게 여긴다는 반증이다.

이처럼 자신의 생명은 소중하게 여기면서도 자신을 위해 생명의 통로가 되어 준 부모를 존중하지 않는다면, 그것은 곧 자기 자신의 생명을 모독하는 짓이다.

생명은 아름답다. 살아 있다는 것은 정녕 아름다운 일이다. 생명보다 더 귀한 보배는 이 세상에 존재하지 않는다. 이 생명의 가치를 안다면, 자신에게 생명의 통로가 되어 준 부모를 귀하게 여기지 않을 수 없다.

셋째, 우리의 생명이 부모에 의해 양육되었기 때문이다.

사회적으로 물의를 많이 일으킨 사람이 있었다. 그는 많은 사람의 입에 오르내리며 지탄을 받았다. 그런데 그의 아들이 장성한 뒤 자기 아버지에 대해서 하는 이야기를 듣고 나는 많은 감동을 받았다. 그 아들이 이런 말을 했다.

"아버지가 사회적으로 얼마나 많은 물의를 일으켰는지, 얼마나 많은 사람들이 아버지를 손가락질하는지 저는 잘 압니다. 그러나 그렇다고 해도 우리 형제들은 아버지를 욕할 수가 없습니다. 오히려 우리 형제들은 아버지를 더 사랑할 수밖에 없습니다. 아버지는 세상 사람들로부터 욕을 먹어가면서 모은 그 돈을 한 푼도 당신 자신을 위해서 쓰신 적이 없습니다. 모두 자식들을 위해서 쓰셨습니다. 오늘날 우리가 존재할 수 있게 된 것은, 사람들로부터 손가락질당하시던 아버지가 우리를 키워 주셨기 때문입니다."

또 오래 전, 노 권사님 한 분이 임종 직전에 사랑하는 당신의 자제들에게 하는 이야기를 들은 적이 있다.

"일제 시대에 세상이 정말 어려워서 먹을 것이 없을 때, 내가 시장 골목을 다니면서 콩나물을 훔쳐서 너희들을 먹여 살렸다. 내가 떳떳하지 못한 것으로 너희들을 먹여 살렸다는 죄책감 때문에 마음의 찔림을 받고 살았단다. 이제 세상을 떠나기 전에 너희들에게 용서를 구한다. 이 에미를 용서해 다오."

그 이야기를 들은 자녀들은 다 울고 말았다. 그리고 모두 권사님의 손을 잡고 말했다.

"어머니, 용서해 달라니요. 그런 사정도 알지 못하고 어머님께 제대로 효도하지 못했던 우리들을 용서해 주십시오."

사랑하는 청년들이여!

그대들이 오늘날 그 자리에 있기까지 그대들의 부모는 참으로 많은 시간과 정성과 물질을 쏟았다.

그대에게 필요한 등록금을 마련하기 위해 그대 아버지는 몇 번이나 양심을 접었을는지 모른다. 그대가 필요로 하는 것을 마련해 주기 위하여 그대 어머니가 여러 차례 거짓말을 했을는지도 모른다. 그리고 그 때의 의롭지 못했던 당신들의 행동 때문에 오늘까지 남모르게 양심의 가책으로 괴로워할지도 모른다. 그렇다고 그대의 부모를 불의한 자라고 지탄할 수 있겠는가? 그럴 수 없다. 오히려 더 공경해야 한다. 그대가 의롭고 떳떳하게 번 돈으로 그대 부모의 여생을 편안히 모셔야 한다. 그래서 그분들이 그 모든 죄책감으로부터 자유를 얻을 수 있도록 도와 드려야 한다.

넷째, 자식이 그 부모를 공경해야 하는 이유는 뿌린 대로 거두기 때문이다.

뿌린 대로 거두는 것은 살아 계신 하나님의 법칙이다. 하나님께서 계시지 않는다면 팥 심은 데서 콩이 날 수도 있다. 거짓을 심고 진실을 거둘 수도 있다. 그러나 하나님께서 살아 계시기에 반드시 뿌린 대로 거두게 된다. 부모 공경을 뿌리면 자식으로부터 부모 공경을 받게 되고, 부모에게 불효하면 그 불효가 자식을 통해 자신에게로 되돌아온다.

언젠가 텔레비전에서 효(孝)를 주제로 하는 대담 프로를 시청한 적이 있다. 국문학자인 김열규 교수에게 사회자가 효에 대해서 묻자, 그는 먼저 이렇게 입을 열었다.

"우리 세대는 소위 자기 자신의 출세를 위하여 고향을 등지고 부모를 버렸던 최초의 세대입니다. 이런 내가 과연 오늘 이 자리에서 효에 대해서 이야기할 자격이 있는지 두렵습니다."

참으로 가슴이 찡하는 말이었다. 지금 청년들의 부모인 60대는, 김 교수의 고백처럼, 자신을 위해 고향과 부모를 등졌던 이 땅의 첫 세대들이다. 말하자면 본의 아니게 부모를 제대로 공경하지 못했던 첫 세대다. 그래서 그분들은 그 자식인 지금의 청년 세대로부터도 제대로 공경을 받지 못하고 있다. 자식들은 그들의 부모가 부모에게 행한 대로 배우기 때문이다. 중요한 것은, 이 법칙은 오늘을 사는 청년들에게도 그대로 적용된다는 사실이다. 그대들과 그대 자식들의 관계 또한 예외가 될 수 없다는 말이다.

참으로 안타까운 젊은이들을 볼 때가 많다. 부모에 대한 최소한의 의무도 행치 않으면서, 자기 자식만 좋아라 여기는 젊은이들은 정말 보기에 민망스럽다. 그것은 자기 자식에게 불효를 가르치고 있는 것이나 다름 없다.

그러므로 자기 부모를 공경하는 것은 자기 자식에 대한 가장 확실한 가정 교육이다. 그렇기에 자기 부모를 공경하는 것이야말로 곧 자기 생명을 귀중하게 가꾸는 일이다.

마지막으로, 우리의 부모는 우리가 감히 상상할 수도 없는 삶의 무게를 지고 있기 때문에 마땅히 공경해야 하는 것이다.

천재는 무엇이든지 다 할 수 있다. 엄청난 과학적 업적을 이룰 수도 있고, 지휘를 할 수도 있고, 작곡을 할 수도 있다. 그러나 아무리 지능지수가 뛰어난 천재라 할지라도, 나이 어린 천재가 절대로 할 수 없는 것이 있다.

아무리 뛰어난 천재라 할지라도 나이가 들지 않고서는 소설가가 될 수 없다. 10대 천재 소설가가 있다는 이야기를 들어 본 적이 있는가? 없을 것이다. 세계 어느 곳에도 없다. 소설이란 인생의 이야기이다. 인생을 살아 본 사람만이 인생의 무게를 안다. 나이 어린 천재가 소설을 흉내낼 수는 있겠지만 그것이 작품이 될 수 없는 까닭은, 그 속엔 사람을 감동시키는 인생의 무게가 담겨 있을 수 없기 때문이다.

잘 아는 바와 같이, 예수님은 열두 살 때 예루살렘 성전에서 율법사들과 하나님의 말씀을 논했다. 당시의 율법사들이란 이스라엘 최고의 학자들이었다. 예수님은 이미 열두 살에 그 쟁쟁한 학자들을 제압할 정도로 하나님의 말씀에 통달해 있었는데, 왜 그 때부터 공생애를 시작하시지 않았는가? 왜 굳이 30대가 될 때까지 긴긴 시간을 기다리셨는가? 그것은 12년 정도 살아온 인생의 무게로는 절대로 인간을 위한 구원자가 될 수 없기 때문이었다.

젊은이들은 이 세상을 살면서 모든 것을 다 할 수 있을 것 같다는 생각을 하곤 한다. 그러나 우리보다 앞서 사신 부모에게는 이미 이 땅을 살았던 인생의 무게가 있다. 그 무게란 자식들이 흉내도 낼 수 없는 무게이다. 바로 그 무게를 존중하는 것이 부모를 공경하는 것이다.

이런 이야기가 있지 않은가? 열 살이 되기 전 아이들에게 아버지는 무엇이든 못하는 게 없는 슈퍼맨이다. 그러나 10대가 되면 그게 사실이 아니라는 것을 이내 알게 된다. 아버지는 모르는 것도 많고 못하는 것도 많은 대수롭지 않은 존재다.

20대에게 아버지는 아무것도 모르는 존재다. 아버지가 하는 것은 무엇이든 맞는 게 하나도 없다. 30대가 되어 아이를 낳아 기르다 보면, 아버지 말씀 중엔 가끔 맞는 말도 있더라는 평가를 내린다.

40대가 되면, 아버지 말씀 중에는 귀담아 들을 만한 이야기가 많다고 여긴다. 50대는, 이럴 때 아버지라면 어떤 결정을 내리실까 생각하게 된다. 이윽고 60대가 되면, "아버지의 말씀이 다 맞습니다"라고 고백한다. 그러나 그 때 그의 부모는 더 이상 이 땅에 존재하지 않는다.

부모가 이 땅을 먼저 살면서 미리 경험했던 인생의 무게와 가치를, 부모가 이 세상을 떠난 다음에야 인정한다는 것은 참으로 어리석다. 부모가 살아 계실 때 그 인생의 무게를 존중하고 그 무게를 자기 것으로 만드는 것이 지혜다.

소설가 이청준 선생의 어머니는 배우지 못한 분이었다. 그러나 그 자신 엘리트였던 이청준 선생은 이 세상 누구보다도 당신의 어머니를 공경했다. 어머니는 그에게 삶의 무게와 지혜를 전해 주신

분이었기 때문이다. 그래서 어머니가 돌아가시자 그는 어머니를 기리는 작품을 직접 썼고, 그 작품을 임권택 감독이 '축제'라는 영화로 만들었다.

　내 부모의 무게를 인정하고 그분의 무게를 자기 것으로 삼는 것은, 과거와 현재와 미래를 공유하는 지혜이다. 이 땅에서 가장 좋은 스승을 바로 내 곁에 두고서 다른 곳에서 스승을 찾는 것보다 더 어리석은 짓은 없다.

　사무엘상 22장 1절에서 4절은, 다윗이 자신을 죽이려는 사울 왕의 추격을 피해 사방으로 도망다니던 때의 기록이다. 마침 다윗은 아둘람 굴에 피신해 있었는데, 그가 피신해 있는 바로 그 현장에 그의 부모도 함께 있었다.

　1절이 이렇게 밝혀 주고 있다.

　"그러므로 다윗이 그 곳을 떠나 아둘람 굴로 도망하매 그 형제와 아비의 온 집이 듣고는 그리로 내려가서 그에게 이르렀고."

　필리핀의 독재자 마르코스가 필리핀을 탈출하여 하와이로 도망갈 때 많은 돈을 들고 갔다. 그러나 고향에 있던 자기 노모를 모셔 가지는 않았다. 그의 노모는 쓸쓸하게 아들을 기다리다가 끝내 홀로 죽었다.

　루마니아의 독재자 차우셰스쿠도 보화는 챙겼지만, 자신의 노모는 버려 둔 채 도망가다가 부하의 총에 맞아 즉사하고 말았다. 이 세상 그 누구도, 자기 목숨이 경각에 달해 허겁지겁 도망가는 순간에 부모를 모시고 다녔다는 이야기를 나는 아직 들어 본 적이 없다.

그러나 다윗은 달랐다. 부모를 모시고 함께 피신 다닌 것만이 아니다. 3절이 이렇게 기록하고 있다.

"다윗이 거기서 모압 미스베로 가서 모압 왕에게 이르되, 하나 님이 나를 위하여 어떻게 하실 것을 내가 알기까지 나의 부모로 나와서 당신들과 함께 있게 하기를 청하나이다 하고."

이스라엘 사람들은 이방인을 짐승처럼 본다. 따라서 이방인 앞에서 무릎꿇는 것보다 더 큰 수치는 없다. 그런데도 다윗은 자기 부모를 좀더 편안하게 모시기 위해, 모압 왕을 찾아가 무릎을 꿇고 모압 왕에게 부모를 부탁했다.

그런데 여기서 더 생각해 볼 문제가 있다. 우리는 늘 다윗만을 위대하게 생각한다. 우리의 초점은 언제나 다윗에게만 맞추어져 있다. 그러나 하나님께서는 그렇지 않으셨다. 하나님께서는 다윗이 귀한 만큼 그의 부모가 될 사람으로 그 많은 이스라엘 사람들 중에서 이새를 택하셨다. 이새가 아니고서는 다윗은 절대로 존재할 수 없다. 하나님께서는 다윗만 사랑하신 것이 아니라 이새를 더 사랑하셨기에, 이새를 통하여 다윗이 나오게 하셨다. 이 사실을 깨달은 다윗이 하나님께서 그토록 사랑하시는 이새에게 효도를 다할 때, 하나님께서 다윗을 또 얼마나 기뻐하셨겠는가?

다윗은 절대로 어느 날 갑자기 '위대한 다윗'이 된 것이 아니다. 하나님께서 그토록 기뻐하시는 자기 부모를 공경함으로써, 결과적으로 하나님 안에서 자기의 생명을 존귀하게 가꾼 대가였다.

부모에게 효도를 다하는 것은 절대로 헛된 일이 아니다. 시간을 낭비하는 일도 아니다. 부질없는 짓은 더더욱 아니다. 부모를 공

경하는 것은 바로 그대의 생명을 존중히 여기는 일이요, 그대의
삶을 아름답게 일구는 복된 길이다.

크리스천과 선택

그러나 몇 가지만 하든지 혹 한 가지만이라도 족하니라
마리아는 이 좋은 편을 택하였으니 빼앗기지 아니하리라 눅 10:42

좀 모자라는데다가 게을러서 어떤 일도 하기 싫어하는 청년이
있었다. 그의 부모가 걱정 끝에 이 청년을 오렌지 농장에 취직시
켰다.

그가 해야 할 일이란 대단히 간단했다. 수북이 쌓여 있는 오렌
지 중에서 모양이 좋은 것은 과일 가게에 보내도록 오른쪽으로 분
류하고, 못생긴 것은 갈아서 쥬스를 만들도록 왼쪽으로 분류하는
단순 작업이었다. 이 정도 일이라면 얼마든지 할 수 있으리라고
부모는 생각했다. 그러나 청년은 그 날 오후에 사표를 쓰고 말았
다. 하루 종일 수천 번이나 선택하고 결단한다는 것이 그에게는
너무도 힘들었던 것이다.

'선택'은 '결단'과 동일한 말이다. 실은 그 청년만이 아니라 모
든 사람들이 선택하면서 살아간다. 전공, 진로, 직장, 배우자 등

모든 것이 선택이자 결단의 문제다. 인생 자체가 선택과 결단의 연속인 것이다. 그러므로 선택은 참으로 중요하다. 어떤 선택을 하느냐에 따라 결과가 전혀 달라지기 때문이다.

앙드레 지드는 이렇게 말했다.

"사람이 바른 선택을 하려면, 선택하려는 그 하나만을 볼 것이 아니라 선택에서 제외되는 나머지를 살펴야 한다."

가령 열 개의 과일 가운데 하나를 선택해야 한다면, 그것은 나머지 아홉 개를 버리는 것을 의미한다. 이 때 자신이 선택한 사과에 대해 후회가 없으려면, 나머지 아홉 개가 하나보다 못하다는 것을 확인할 필요가 있다는 것이다.

이론적으로는 옳은 말이지만 적용하기는 참으로 어렵다. 상황에 따라 작은 것이 엉뚱하게 커 보일 때도 있고, 반대로 큰 것이 형편없이 작게 보일 때도 있는 까닭이다.

세계적인 테너 가수인 파바로티는 어릴 때부터 음악적인 재능을 가지고 있었다. 빵장수를 하던 아버지는 아들의 그 재능을 키워 주기 위해 애를 썼다. 그러나 청년기를 거치면서 파바로티의 관심은 오히려 교육에 쏠려 대학에서도 교육을 전공하게 된다.

졸업 때가 가까워지자 파바로티가 진로 문제를 놓고 고민에 빠졌다. 그는 내심 성악과 교육을 동시에 붙잡고 싶었던 것이다. 그 때 아버지가 파바로티의 방에 들어가, 방 안에 있던 의자 두 개를 멀리 떼어 놓은 뒤 이렇게 말했다.

"이처럼 멀리 떨어져 있는 의자 위에 동시에 앉으려면 너는 바닥에 떨어지고 만다. 의자에 앉으려면 반드시 한 의자를 선택해야 하고, 그 선택은 네 자신이 해야 한다."

결국 청년 파바로티는 결코 두 개의 의자 위에 동시에 앉을 수 없다는 사실을 받아들이고 심사숙고한 끝에 성악을 선택했다. 결과적으로 그는 선택을 잘 한 경우에 속한다.

그러나 반대의 경우도 있다. 60년대 주한 프랑스 대사를 역임했던 샹바르라고 하는 사람이 있다. 지금은 우리 나라의 국력이 커졌기에 한국 주재 대사가 작은 자리는 아니지만, 60년대만 하더라도 주한 대사직이란 프랑스 관리들이 볼 때 한직 중에 한직이었다. 그는 프랑스 외무성에서 자타가 인정하는 엘리트 관리였으며 많은 사람들이 그를 미래의 장관감이라 여겼음에도 불구하고, 주한 대사를 끝으로 공직에서 물러나고 만다. 그것은 그의 선택 때문이었다.

1954년 알제리 사태가 일어났을 당시, 프랑스의 드골 장군은 샹바르를 발견한다. 한눈에 그의 재능을 알아본 드골은 샹바르에게 자기를 도와 줄 것을 요구했다. 그러나 그 때는 드골이 권력을 완전히 장악하기 이전이었다. 더욱이 당시는 알제리 사태로 정국이 혼미해서 누가 정국의 주역이 될는지 알기가 참으로 어려운 상황이었다.

청년 샹바르는 선뜻 드골을 선택하지 못했다. 그를 선택하기에는 여러 가지 변수가 너무 많아 보였기 때문이다. 그는 사흘 뒤에 드골을 선택하기로 결단했지만, 드골은 그를 받아 주지 않았다. 그처럼 우유부단한 선택과 결단으로는, 2차대전 후 난세에 빠진 프랑스를 이끌어 갈 지도자가 될 수 없다는 이유에서였다.

같은 이유로, 드골은 1958년 대통령이 된 후에도 샹바르를 중용하지 않았다. 그 결과 샹바르는 한직을 맴돌다가 퇴임하고 말았다. 그는 결과적으로 선택을 잘못 한 경우이다.

인생은 선택이다. 그리고 선택은 참으로 중요하다. 인생이 선택이라면 신앙 역시도 선택이다. 크리스천으로 살아간다는 것 자체가 선택이다. 대충 주일만 지키는 선데이 크리스천이 될 것인가, 주중에도 진실된 크리스천으로 살아갈 것인가—이것도 선택이다. 하나님의 말씀을 내 삶의 전반에 걸쳐서 적용할 것인가 아니면 필요할 때만 적용할 것인가—이것 역시 선택의 문제이다.

신앙이 선택이라면 우리가 무엇을 선택하든 그것이 그리스도 안에서 바른 선택이 되기 위해서는, 아니 우리가 선택한 것이 바로 주님께서 원하시는 선택이 될 수 있기 위해서는, 몇 가지 유의해야 할 점들이 있다.

첫째, 특수한 상황 속에서 성경의 어떤 인물을 자신의 본으로 선택한다는 것은, 그 사람의 삶 자체를 선택하는 것임을 잊어서는 안 된다.

예를 들어 보자. 결혼을 했는데 자녀를 얻지 못한 부부가 있다. 그들은 창세기를 읽다가, 자녀가 없던 아브라함과 사라가 아들을 낳은 것을 보고 큰 은혜와 위로를 받을 것이다. 그리고 그들을 본으로 삼아 자기 부부를 그들과 동일시하려 할 것이다. 또는 사무엘상을 읽다가 엘가나와 한나 부부를 만나고서, 그들을 본으로 삼아 그들과 같은 믿음으로 자식을 갖고자 할 수도 있다. 아니면 혼자 살던 사도 바울을 본으로 삼아 오히려 홀가분하게 주님을 전하는 적극적인 삶을 선택할 수도 있다.

그런데 여기서 어느 쪽을 본으로 삼든 그 선택은 곧 그 사람의 삶 자체를 선택하는 것을 의미한다. 아브라함과 사라를 본으로 선택하였다면 그들이 자식을 낳기까지 기다렸던 25년을 인내할 수도 있어야 된다는 말이다. 한나의 경우를 선택했다면, 한나가 어렵게 얻은 아들을 젖 떼기 무섭게 하나님 앞에 바쳤던 것처럼 자식을 하나님 앞에 내놓을 수 있어야 한다. 요셉과 같은 하나님의 종이 되기를 선택했다면, 요셉이 겪었던 종살이와 옥살이 같은 억울한 상황이 자신에게도 닥칠 수 있음을 수용해야 한다. 모세처럼 살기를 선택했다면 그가 겪었던 40년 동안의 광야 생활도 받아들일 수 있어야 한다는 것이다.

이처럼 성경에 나오는 어떤 인물을 본으로 선택한다는 것은, 그들에게 주어졌던 마지막 단 열매만을 취사선택하는 것이 아니라, 그들에게 있었던 좌절과 아픔, 연단, 고통까지도 수용하는 것을 의미한다. 그 과정 속에서 우리는 아브라함, 요셉, 모세, 한나와 같은 진정한 신앙인으로 세워지기 때문이다.

만약 이 사람 저 사람으로부터 좋은 결과, 단 열매만을 가려 뽑아 자기 소유로 삼으려 한다면 그것은 신앙적인 선택일 수가 없다. 그것은 단지 미신에 지나지 않는다. 그런 선택이 혹 현세적으로는 성공한 선택처럼 보인다 할지라도 오히려 신앙 성숙에는 해가 될 수밖에 없다. 신앙이 선택이라 할 때, 그것은 언제나 소유에 대한 선택이 아니라 존재에 대한 선택의 문제이기 때문이다.

둘째, 무엇을 선택하든 그 동기의 중심이 주님이라면 그 선택은 항상 옳은 것이다.

배우자를 결정할 때 건강한 사람을 택할 수도 있고 장애인을 선택할 수도 있다. 부자를 선택할 수도 있고 가난한 사람을 택할 수도 있다. 많이 배운 사람을 선택할 수도 있고 상대적으로 덜 배운 사람을 선택할 수도 있다. 그러나 그 선택의 동기가 자기 자신만을 위함이 아니라 중심으로 주님을 위한 것이라면, 그 어떤 선택이든지 주님 안에서는 옳은 선택으로 귀결된다는 것이다.

어떤 사람은 소위 보수적인 신앙으로 개인의 구원에 더 많은 관심을 가질 수 있다. 어떤 이는 진보적인 신앙으로 사회 참여에 나서는 운동가가 될 수도 있다. 어떤 선택이든 그 동기 자체가 주님을 위한 것이라면 그것은 모두 옳은 선택이다. 문제는 주님을 위한 것이 아니라 자기 개인의 욕망이나 명예를 위해 선택하는 경우이다.

누가복음 10장 38절에서 42절에는 베다니에 살고 있는 마르다와 마리아 자매의 이야기가 나온다.

어느 날 주님께서 그 집에서 말씀을 가르치실 때였다. 언니 마르다는 그 자리에 모인 사람들을 위하여 음식을 준비하고 있었다. 반면에 여동생 마리아는 주님 앞에 앉아 말씀만 듣고 있었다. 혼자 봉사를 하던 마르다의 마음이 적이 언짢아졌다. 그래서 자기를 도울 생각일랑 아예 하지도 않고 말씀만 듣고 있는 마리아에 대해 주님께 불평을 털어놓았다. 그 때 주님께서 마르다에게 이렇게 말씀하셨다.

"주께서 대답하여 가라사대, 마르다야 마르다야, 네가 많은 일로 염려하고 근심하나, 그러나 몇 가지만 하든지 혹 한 가지만이라도 족하니라. 마리아는 이 좋은 편을 택하였으니 빼앗기지 아니하리라 하시니라"(눅 10:41, 42).

일반적으로 이 구절을, 마리아는 말씀을 듣는 지혜로운 선택을 한 반면 마르다는 말씀을 제쳐 놓고 육체의 음식이나 만드는 그릇

된 선택을 한 것처럼 오해하는 경우가 많다. 그러나 그것은 바른 이해가 아니다. 어느 모임이든 보이지 않는 곳에서 봉사하는 손길이 반드시 있기 마련이다. 그 봉사의 손길이 없이는 어떤 모임이든 모임 자체가 불가능하기 때문이다. 그리고 보이지 않는 봉사의 손길을 가진 자의 신앙은, 모임의 앞자리에 앉아 있는 자보다 대개는 더 깊다.

마르다는 신앙이 깊은 자였다. 그래서 그녀는 봉사하는 쪽을 선택했다. 그러나 아직까지 언니의 신앙 수준에 이르지 못했던 마리아는 말씀 듣는 쪽을 선택했다. 마르다는 동생이 자기의 선택을 좇아와 주기를 원했다. 그러나 주님께서는 그 두 사람의 선택이 다 옳다는 사실을 일깨워 주신 것이다.

"마르다야! 네가 너의 신앙 수준에서 나를 위하여 봉사를 선택한 것이 정당하고 옳은 것처럼, 네 동생이 자기 수준에서 나를 위하여 말씀 듣기를 선택한 것 역시 옳고 정당함을 인정해 주거라."

한마디로, 마리아가 자기 수준에서 주님을 위해 선택한 것을 비판하지 말고 존중해 주라는 것이다. 주님을 위한 선택인 이상 그 역시 옳은 선택이기 때문이다. 이처럼 무엇이든 주님을 위해 선택하는 사람만, 다른 사람이 무엇을 선택하든 그것 역시 주님을 위한 선택으로 존중해 줄 수가 있다.

목회를 하다 보면 다양한 단체의 리더들과 만나게 된다. 그런데 신기한 것은, 고아원을 경영하는 사람들은 고아원에 관심이 없는 이들을 다 참된 크리스천이 아니라 하고, 양로원을 경영하는 사람들은 양로원에 관심이 없는 자들을 무턱대고 비판한다는 사실이다.

양로원을 선택한 사람들의 선택도 아름답다. 고아를 위해서 일생을 거는 자들도 아름답다. 장애인을 섬기는 인생을 선택하는 것도 아름답다. 일반인을 위한 봉사의 삶을 선택하는 것도 물론 아름답다. 중요한 것은 무엇을 선택했느냐가 아니라, 왜 선택했느냐 하는 것이다. 그 해답이 주님이라면, 우리의 모든 선택은 그리스도 안에서 옳은 선택이 된다. 이것을 바르게 아는 자가 남의 선택을 진정으로 존중하는 법이다.

셋째, 무엇을 선택하든 그 선택이 주님을 위한 것이라면 주님께서 반드시 결과를 책임져 주신다.

1974년에 나는 홍성사를 주님의 영광을 위하여 설립했다. 적어도 그 동기만은 순수했다. 그러나 그 기업을 통해 내게 돈이 쏟아져 들어왔을 때, 나는 그 물질로 인해 하나님을 등지고 스스로 타락하는 삶을 선택했다. 그럼에도 주님께서는 주님의 방법으로 때로는 치시고, 때로는 꺾으심으로, 홍성사가 오직 주님을 위한 기업이 되게 하셨다. 선택의 동기가 주님일 때 주님께서 친히 결과를 책임져 주신 것이다.

우리가 무엇을 하든 그 동기가 주님일 때 주님께서는 반드시 그 결과를 책임지신다. 왜냐하면 그분은 살아 계시기 때문이다. 만약 주님께서 인간이 당신을 위해 행한 선택의 결과를 친히 책임져 주시지 않는다면, 어찌 그분이 살아 계신 주님일 수 있겠는가? 따라서 동기가 주님인 이상 우리는 실패나 실수를 두려워해서는 안 된다. 때로는 넘어질 때도 있고 꺾어질 때도 있겠으나, 주님께서는 합력해서 선을 이루게 하사 그 결과를 반드시 책임져 주신다.

넷째, 주님을 위한 선택이라면 그 선택에 대해 끝까지 소명의식을 지켜야 한다.

청년들은 때가 되면 배우자를 만난다. 그 때 자신이 선택한 배우자를 사람들이 혹 반대할 수도 있다. 그래도 하나님께서 친히 예비하신 자신의 짝임을 믿고 결혼을 한다. 그러나 막상 결혼을 하고 함께 살다 보니 전혀 딴판이다. 기대했던 것과는 전혀 다른 사람이요 삶이다.

그럴지라도 그 선택의 동기가 주님이었다면, 주님께서 친히 짝지어 주셨음을 믿고서 결혼했다면, 그 선택에 대한 소명의식을 끝까지 잃지 말아야 한다. 자신의 선택이 잘못된 것이 아니라, 자신이 선택한 상대를 도구 삼아 주님께서 자신을 훈련시키시는 것으로 받아들여야 된다는 뜻이다. 그 때 두 사람을 부부 되게 하신 하나님의 역사가 일어나는 것이다.

교회에는 여러 명의 교역자들이 있다. 새벽부터 밤 늦게까지 그들의 수고는 이루 다 말할 수 없다. 그런데 만약 그들 중 누군가가 매일, 대기업에 있는 동창생 봉급은 얼마일까, 사업하는 친구의 아파트는 몇 평일까 하는 생각만 하고 있다면 그보다 더 불행한 사람은 없을 것이다. 그는 선택을 잘못한 사람이기 때문이다. 그들이 육체적으로 곤고하고 경제적으로는 빠듯하지만 누구보다도 행복하게 살아가는 것은, 자신들이 선택한 목회의 길에 대한 소명의식이 뚜렷하기 때문이다. 그래서 그들을 통해서 많은 사람들이 오늘도 진리를 얻고 생명을 공급받는 것이다.

신앙은 선택이다. 그러나 소명의식의 토대 위에서만 선택의 결실은 이루어진다.

마지막으로, 내가 주님을 위해 무엇을 선택하는 것도 중요하지만, 내가 항상 주님의 선택을 받을 수 있도록 언제든지 나 자신을 바르게 가꾸는 것이 더 중요하다.

사울은 이스라엘의 초대 왕으로 하나님의 선택을 받았다. 개인적으로 그보다 더 영광된 일이 어디에 있겠는가? 그러나 그는 하나님의 선택보다는 그 결과인 왕좌를 더 중하게 여기는 어리석음을 범하고 말았다. 하나님께서 여러 차례 잘못을 지적해 주셨지만 그는 더 이상 하나님의 선택에는 관심이 없었다. 자신의 선택으로 왕좌를 지킬 수 있다고 착각한 것이었다. 결국 그는 하나님의 선택에서 제외되었고, 하나님의 선택에서 떨어져 나간 그의 말로는 비참하게 끝나고 말았다.

다윗은 그 반대의 경우였다. 사울 왕이 하나님의 선택에서 제외되자 하나님께서는 선지자 사무엘에게 새로운 왕을 예비케 하셨다. 바로 베들레헴에 사는 이새의 아들 다윗이었다. 이와 관련하여 하나님께서 사무엘에게 하신 말씀을 사무엘상 16장 1절이 이렇게 증거해 주고 있다.

"여호와께서 사무엘에게 이르시되, 내가 이미 사울을 버려 이스라엘 왕이 되지 못하게 하였거늘 네가 그를 위하여 언제까지 슬퍼하겠느냐? 너는 기름을 뿔에 채워 가지고 가라. 내가 너를 베들레헴 사람 이새에게로 보내리니 이는 내가 그 아들 중에서 한 왕을 예선하였음이니라."

여기에서 중요한 단어는 '예선'(豫選)이다. 다윗은 예선에서만 선택된 것이 아니었다. 그는 본선에서도 역시 하나님의 선택을 받았다. 그 자신이 언제나 하나님의 선택을 받을 수 있도록 자신을 바르게 가꾸는 삶을 선택했기 때문이다. 그러나 그 선택 역시 하나님께서 먼저 선택해 주셨기 때문에 가능했음은 물론이다.

   오늘 우리가 어떻게 믿음의 자리에 서 있을 수 있는가? 우리가
어떻게 무엇이든 주님을 위해 선택할 수 있는가? 그 해답은 한 가
지, 주님께서 우리를 먼저 선택해 주셨기 때문이다. 우리가 주님
을 위하여 무엇을 선택하든, 그 동기와 출발은 언제나 하나님께서
먼저 선택해 주셨음에 있다.
   사랑하는 청년들이여!
   하나님께서 그대들을 선택해 주셨음을 잊지 말라. 그분의 선택
가운데 거하라. 그분의 선택 안에서 그분을 선택하는 자들이 되
라. 하나님의 선택과 그대들의 선택이 부딪치는 그 곳에서 새로운
역사는 창조될 것이다. 마치 예선을 통과한 다윗의 삶을 통해 하
나님의 본선이 펼쳐지듯이 말이다.

크리스천과 경건

망령되고 허탄한 신화를 버리고 오직 경건에 이르기를 연습하라 딤전 4:7

참된 신앙은 변화로 나타난다. 자기만을 생각하던 사람이 다른 사람을 생각하는 자로 변화되고, 땅의 것만을 추구하던 사람이 위의 것을 추구하는 사람으로 거듭나고, 눈앞의 것만을 보던 사람이 영원한 것을 바라보는 사람으로 새로워진다.

이처럼 참된 신앙은 언제나 변화를 수반한다. 그리고 그 같은 변화를 이룬 사람을 가리켜 사람들은 경건한 자라 부른다.

'경건'은 그리스어로 '유세베이아'라고 한다. 이것은 부사 '유'와 동사 '세보'의 합성어에서 파생된 말이다. 부사 '유'의 뜻은 영어의 'well'과 같다. 즉 우리말로 '잘'이란 의미다. 동사 '세보'는 '공경한다', '위한다', '섬긴다'는 의미다. 따라서 경건이란 특정한 장소에 국한됨이 없이, 어디서나 하나님을 잘 섬기고 위하는 삶을 가리키는 말이다.

우리는 아무에게나 경건하다는 말을 사용하지 않는다. 또한 이 말을 예배당 안에서는 자주 사용하지 않는다. 예배당 안에서는 으레 누구나 다 경건해 보이기 때문이다. 오히려 이 표현은 대개의 경우 예배당 밖에서 사용되고 있다. 예배당 밖 일상의 삶 속에서 하나님의 말씀을 좇아 흔들림 없는 삶을 살아가는 사람을 만날 때, 우리는 그를 가리켜 경건한 사람이라고 말한다.

다시 말해 예배당 안팎의 삶에 차이가 없는 사람을 일컬어 경건한 자라 말한다. 이것은 참된 경건이 증명되는 장소는 예배당 안이 아니라 예배당 밖이라는 사실을 일깨워 준다. 그 사람이 진정으로 '어디에서나 주님을 섬기는' 사람이기 때문이다.

우리가 정말 참된 크리스천이 되기를 원한다면 이와 같은 경건을 추구할 수 있어야 한다. 장엄한 성가가 울려 퍼지는 예배당 안에서가 아니라 불꽃 튀는 유혹과 욕망의 현장에서 말이다. 자기 중심적이 될 수밖에 없는 순간에 말이다. 나의 인기나 명예가 짓밟히려는 바로 그 곳에서 말이다. 그 때 거기에서 하나님을 좇아 행동하는 경건의 사람이 되어야 한다. 문제는 경건이 절로 이루어지지 않는다는 데 있다.

디모데전서 4장 7절 말씀이 이렇게 증거하고 있다.

"망령되고 허탄한 신화를 버리고 오직 경건에 이르기를 연습하라."

연습하라는 말은 훈련하라는 뜻이다. 경건은 훈련하지 아니하면 결코 이룰 수가 없다. 영어성경 리빙 바이블(Living Bible)은 이것을 다음과 같이 번역했다.

"spend your time and energy."

경건을 이루기 위해서는 반드시 시간과 힘을 다 쏟아야 된다는 말이다. 하루가 아니라 매일 그렇게 해야 된다는 것이다. 그러기에 경건이란 훈련의 결과요, 반복의 열매이다. 이와 같은 경건한 삶을 살기 위해서, 지금 그대는 하루에 얼마만큼의 시간(time)과 어느 정도의 힘(energy)을 쏟고 있는가?

통계학에 '엥겔 계수'라는 것이 있다. 이것은 한 가정이나 사회 또는 국가의 생활 수준을 나타내는 지표로서, 전체 생계비 지출 총액에서 음식비 지출이 차지하는 비율을 말한다. 따라서 엥겔 계수가 높을수록 후진국에 속한다. 말하자면 자기 소득 중에서 먹는 것에 쓰는 비용이 많으면 많을수록 후진국에 가깝다. 반대로 그 비율이 떨어지면 떨어질수록 선진국으로 분류된다. 그만큼 여유 있는 삶을 산다는 의미이기 때문이다.

영적인 엥겔 계수도 똑같다. 하루에 자기 육체의 본능을 위하여 쓰는 시간과 에너지가 많을수록 그는 덜 경건한 사람이다. 반면에 경건을 위해 시간과 에너지를 쏟고 그것을 반복하는 사람이 진정으로 경건한 사람이 되는 것이다. 이런 의미에서 천재가 경건해지기는 쉽지 않다. 천재는 반복에 익숙치 않기 때문이다.

예를 들어 보자. 일정 분량의 성경 말씀을 천재는 한 시간 만에 다 외워 버렸다. 천재가 아닌 사람은 같은 분량의 성경 말씀을 자기 것으로 만드는 데 매일 한 시간씩 열흘이 걸렸다. 이 경우, 두 번째 사람이 더 경건해지는 것은 물론이다. 경건은 반복의 결과로만 나타나기 때문이다.

내게는 네 명의 아이들이 있다. 그 중 세 명의 아이가 초등학교를 다닐 때였다. 아침에 일어나면 먼저 각자 하나님 앞에 영광 기도를 드린 다음, 초등학교 6학년인 첫째는 성경을 여섯 절을 썼다. 초등학교 4학년인 둘째는 네 절을 썼고, 초등학교 1학년인 셋째는 한 절을 썼다. 그리고 한 학년씩 올라갈 때마다 한 절씩을 더 써야 했다.

나는 다른 부분에서는 아이들의 신앙 생활을 간섭하지 않았다. 그러나 그 부분만은 반드시 챙겼다. 물론 지금은 아이들이 스스로 다른 방법으로 경건을 훈련하지만, 당시는 그렇게 했다. 어릴 때부터 그 정도의 시간을 자신의 경건을 위하여 투자하고 반복한다면, 그들이 장성한 뒤에도 자신의 경건을 반복하며 이루어 갈 수 있다고 믿었던 까닭이다.

나는 진심으로 청년들에게 간곡히 부탁한다. 나이 들어서도 후회하지 않을 삶을 살기 원한다면 오늘부터 당장 경건을 위하여 시간과 에너지를 쏟아야 하고, 또 날마다 반복해야만 한다.

그렇다면 왜 경건을 훈련해야 하는가? 그 이유를 디모데전서 4장 8절이 이렇게 밝혀 주고 있다.

"육체의 연습은 약간의 유익이 있으나 경건은 범사에 유익하니 금생과 내생에 약속이 있느니라."

우리가 우리의 육체를 단련하는 일도 대단히 중요하다. 육체의 건강도 반드시 필요하고 건강이 가져다 주는 유익 또한 지대하다. 그러나 경건의 유익에 비교하면 그것은 미미하기 짝이 없다는 것이다.

육체의 훈련은 우리의 삶을 이 땅에서만 유익하게 한다. 내 육체가 관 속에 드러눕는 그 순간부터 그 유익은 나를 책임지지 못한다. 그러나 경건은 이 땅에서 뿐 아니라 내 육체가 시체로 드러누운 이후에도 유익하다. 경건이란 영원과 접목되어 있는 까닭이다.

그대 청년들은 젊다. 그러나 언젠가는 반드시 그 젊은 육체의 생명도 끝나기 마련이다. 그러므로 그대들은 지금부터 그 이후에도 유익을 가져다 줄 것이 무엇인지를 생각하며 살아야 한다.

디모데전서 4장 9절이 이렇게 증거하고 있다.

"미쁘다, 이 말이여! 모든 사람들이 받을 만하도다."

여기서 '미쁘다' 는 말은 곧 '참말' 이라는 뜻이다. 즉 경건이 유익하다는 것은 참말이라는 것이다. 오늘 그대들은 이 참말을 받아들여야 한다. 왜 그런가? 경건은 금생과 내생에 유익할 뿐 아니라, 하나님께서는 경건한 자를 통해서 당신의 역사를 이루어 가시는 까닭이다.

그대 청년들이 정말 이 땅에 살면서 영원하신 하나님의 도구가 되길 원하고 또 가치 있는 삶을 살기 원한다면, 그대들은 반드시 경건한 자가 되어야 한다. 예배당 안에서는 물론이요 삶의 현장에서도 경건해야 한다. 그 실례를 이제 함께 성경 속에서 찾아보기로 하자.

먼저 창세기 39장을 보자. 이것은 이집트에 종으로 팔려간 요셉이 시위대장 보디발의 집에서 청지기 생활을 할 때의 이야기다.

그런데 7절이 이렇게 증거하고 있다.

"그 후에 그 주인의 처가 요셉에게 눈짓하다가 동침하기를 청하니."

주인의 아내가 요셉을 유혹하고 있다. 이것은 주인의 아내가 유독 부도덕한 여자였기 때문이라기보다는 당시 이집트의 풍조 자체가 이러했다.

우리가 잘 아는 〈아라비안나이트〉는 중동 지방의 생활상을 보여 주는 소설이다. 그런데 그 책 속에 들어 있는 주제의 대부분이 이런 이야기들이다. 남자 주인은 여종과 놀아나고 여주인은 남종과 놀아난다는 식의 불륜 이야기다. 이것이 그 당시의 풍조였기에, 이 여자도 거리낌없이 자기 남종인 요셉에게 동침을 요구한 것이다.

이에 대한 요셉의 반응을 8절이 전해 주고 있다.

"요셉이 거절하며 자기 주인의 처에게 이르되, 나의 주인이 가중 제반 소유를 간섭지 아니하고 다 내 손에 위임하였으니 이 집에는 나보다 큰 이가 없으며, 주인이 아무것도 내게 금하지 아니하였어도 금한 것은 당신뿐이니 당신은 자기 아내임이라. 그런즉 내가 어찌 이 큰 악을 행하여 하나님께 득죄하리이까?"

요셉은 일언지하에 그 유혹을 거절했다. 그러나 문제는 그렇게 간단히 끝나지 않았다. 그 다음 10절의 내용이다.

"여인이 날마다 요셉에게 청하였으나 요셉이 듣지 아니하여 동침하지 아니할 뿐더러 함께 있지도 아니하니라."

여인의 유혹은 한 번으로 끝나지 않았다. 그 이후에 '날마다' 계속되었다. 열 번 찍어 넘어가지 않는 나무가 없다고 했다. 한두 번은 거절하지만, 그 유혹이 열 번, 스무 번 거듭되면 넘어갈 수도 있다. 그런데 요셉은 아예 그 여자와 마주치려 하지도 않았다.

11절에서 12절에 계속되는 증언을 보자.

"그러할 때에 요셉이 시무하러 그 집에 들어갔더니 그 집 사람은 하나도 거기 없었더라. 그 여인이 그 옷을 잡고 가로되, 나와 동침하자. 요셉이 자기 옷을 그 손에 버리고 도망하여 나가매."

그 날은 아무도 없는 날이었다. 오직 여인과 요셉밖에 없었다. 그 날따라 여인은 요셉의 옷을 잡고서 더욱 노골적으로 유혹했다. 만약 그 동안 요셉이 남의 눈을 의식해서 거절했던 것이라면 못 이기는 척 응하고 말았을 것이다. 요셉에게 권세 있는 주인의 부인을 이용해서 뭔가 자기 목적을 이루려는 사심이 있었더라면, 그 날이야말로 절호의 기회였다. 그러나 요셉은 끝내 단호하게 거절했다. 그래도 여인이 요셉의 옷을 놓지 않자 아예 그 옷을 벗어 던지고 그 자리를 피해 버렸다.

요셉의 경건은 성전 안에서의 경건이 아니었다. 불꽃 튀는 유혹의 현장에서 요셉은 끝내 경건했다. 그는 정말 경건한 사람이었던 것이다. 이처럼 경건한 요셉을 도구로 삼아 하나님께서는 기근에 빠진 중동을 구원해 내셨다.

다음으로 사무엘상 1장을 찾아보자.

한나라는 여인이 있었다. 그녀의 남편에게는 자기 이외에 또 다른 여인이 있었다. 그 여인은 자식을 낳았지만 한나는 아이를 갖지 못했다. 그것은 같은 여인으로서 참기 어려운 고통이었다. 그래서 한나는 하나님께 간구하였다. 그 기도가 10절에서 11절에 나온다.

"한나가 마음이 괴로워서 여호와께 기도하고 통곡하며 서원하여 가로되, 만군의 여호와여 만일 주의 여종의 고통을 돌아보시고 나를 생각하시고 주의 여종을 잊지 아니하사 아들을 주시면 내가 그의 평생에 그를 여호와께 드리고 삭도를 그 머리에 대지 아니하겠나이다."

이것은 전혀 우리의 눈길을 끌 만한 기도가 아니다. 누구든지 간절한 소원이 있을 때에는 이런 기도를 드리는 법이기 때문이다. "이것을 주시기만 하면 저것을 다 바치겠습니다"—이런 식의 기도 말이다. 문제는 기도 이후의 일이다. 그 기도가 막상 이루어졌을 때 사람들은 자신의 약속을 까맣게 잊어버린다는 것이다.

한나의 기도가 이루어져 꿈에도 그리던 아들을 낳아 품에 안게 되었다. 그리고 그 이후에 있었던 일을 27절에서 28절이 이렇게 전해주고 있다.

"이 아이를 위하여 내가 기도하였더니 여호와께서 나의 구하여 기도한 바를 허락하신지라. 그러므로 나도 그를 여호와께 드리되 그의 평생을 여호와께 드리나이다 하고 그 아이는 거기서 여호와께 경배하니라."

"하나님께서 약속을 지켜 주셨으므로 저도 하나님께 약속한 대로 아이를 하나님께 드리되 이 아이의 평생을 드립니다" 하는 기도는 입으로는 또 얼마든지 할 수 있다. 중요한 것은 한나는 그 기도와 더불어 아이를 정말 성전에 바쳤다는 사실이다. 이 때가 언제인지를 24절이 이렇게 밝히고 있다.

"젖을 뗀 후에……."

아이가 젖 떼기를 기다렸다가 젖을 뗌과 동시에 약속대로 하나님께 바쳤다. 이스라엘 아이들은 만 세 살까지 엄마의 젖을 먹는다. 따라서 아이가 젖을 뗀 후라는 것은, 우리 나이로 네 살 혹은 다섯 살을 의미하게 된다. 어린아이가 네 살 혹은 다섯 살 정도 되면 얼마나 귀여운지 아는가? 말 못 하는 어린아이가 엄마 품 속에서 새록새록 잠든 모습도 귀엽지만, 말을 배우고 엄마 아빠와 의사소통이 되기 시작할 서너 살 무렵에 얼마나 귀엽고 사랑스러운지는 경험해 보지 않고는 모른다.

한번은 아내와 함께 강남에서 합정동 집으로 돌아가는 중이었다. 가는 길에 유치원에 들러 막내아이를 데리고 가기로 되어 있었다. 자동차를 타고 가다 보니 압구정동 뒤쪽 한강 고수부지 위를 통과하게 되었다. 그 길은 늘 차를 타고 혼자 다니면서, '언젠가 아내와 함께 단 둘이서 이 곳을 한번 거닐어 봐야지' 하는 바람을 갖곤 하던 곳이었다. 그래서 차를 세우고 잠시 산책할 것을 아내에게 청했다. 아내도 좋다고 했다.

차에서 내려 조금 걸었을 때였다. 그런데 갑자기 아내가 그냥 빨리 되돌아가자는 게 아닌가. 이유를 물었더니, 혹 기다릴지도 모르는 승주 때문이라고 했다. 막내아이를 생각하면 남편과의 산책도 전혀 편치 않았던 것이다.

바로 이것이 어린아이를 둔 어머니의 마음이다. 그러나 한나는 자신의 마음보다 하나님과의 약속을 더 중히 여겼다. 가장 모성 본능이 강할 때, 그 아이를 자기 품에서 떼어 놓기가 가장 어려울 때, 한나는 하나님과 약속했던 대로 그 아이를 하나님께 바치되 아이의 평생을 바쳤다. 한나는 정말 경건한 여자였다. 하나님께서는 그처럼 경건한 한나의 아들 사무엘을 통하여 이스라엘의 역사를 경건하게 하셨다.

이제 열왕기하 18장을 찾아보기로 하자.

"히스기야가 그 조상 다윗의 모든 행위와 같이 여호와 보시기에 정직히 행하여, 여러 산당을 제하며 주상을 깨뜨리며 아세라 목상을 찍으며 모세가 만들었던 놋뱀을 이스라엘 자손이 이 때까지 향하여 분향하므로 그것을 부수고 느후스단이라 일컬었더라"(3, 4절).

청년 히스기야가 임금이 되었다. 그는 모세가 만들었던 놋뱀을 깨뜨려 버리고 그것을 느후스단 즉 '놋 조각'이라 불렀다.

여기서 놋뱀에 관해 잠시 생각해 보자. 이스라엘 백성들이 출애굽 한 뒤 광야에서 불뱀에 물리는 사건이 발생한다. 그 때 하나님의 지시를 받은 모세가 놋으로 뱀을 만들어 장대 위에 매달고, 누구든지 믿음으로 놋뱀을 보는 자는 나을 것이라 선포했다. 정말 하나님을 믿는 믿음으로 그 놋뱀을 본 사람들은 다 나았다. 놋뱀 그 자체가 신통력을 가져서가 아니라, 그것을 만들어 매달게 하신 하나님의 능력으로 인함이었다. 이를테면 그 놋뱀은 그 날을 위한 하나님의 일회용 도구에 지나지 않았다.

그런데 누군가가 그 놋뱀을 보관하고 있었다. 그리고 언제부턴가 마치 그 놋뱀 자체가 신통력을 가진 것처럼 사람들이 놋뱀에게 분향하고 경배하기 시작했고, 히스기야가 왕이 되었을 때엔 놋뱀 숭배가 절정을 이루고 있었다.

권력이나 재물이 많은 사람일수록 더욱 미신적이기 쉽다. 우리나라 한 무속인의 책을 권력자들이 사서 통독을 하고, 재벌들이 사서 중역에게 읽힌다고 하지 않던가? 자기의 권력이나 부가 행여라도 떠날까 봐 그들은 조금이라도 거리끼는 행동은 하지 않으려고 한다.

히스기야가 왕위에 올랐을 때 그의 나이는 불과 25세였다. 왕궁에는 수없이 많은 원로 대신들이 있었다. 그들은 놋뱀에게 절하는 것을 당연한 신앙 행위로 여기는 자들이었다. 그런데 히스기야는 자기 권력을 공고히 하기도 전에 그 놋뱀을 먼저 부수어 버리고 느후스단, 즉 놋 조각일 뿐이라고 말했다.

그것은 어떤 의미에서는 자기의 왕권 자체를 뒤흔드는 무모한 일일 수 있었다. 그러나 히스기야는 그런 것을 조금도 개의치 않았다. 자기의 부왕도 조부왕도 증조부왕도 그 앞에서 분향했던 그 놋뱀을 미련없이 깨부수었다. 히스기야는 정말 경건한 사람이었다. 경건한 히스기야 왕을 통하여 이스라엘에는 새로운 종교 개혁이 일어났다.

마지막으로 느헤미야 2장을 살펴보기로 하자.

"아닥사스다 왕 이십 년 니산 월에 왕의 앞에 술이 있기로 내가 들어 왕에게 드렸는데, 이전에는 내가 왕의 앞에서 수색이 없었더니 왕이 내게 이르시되, 네가 병이 없거늘 어찌하여 얼굴에 수색이 있느냐? 이는 필연 네 마음에 근심이 있음이로다. 그 때에 내가 크게 두려워하여 왕께 대답하되, 왕은 만세수를 하옵소서. 나의 열조의 묘실 있는 성읍이 이제까지 황무하고 성문이 소화되었사오니 내가 어찌 얼굴에 수색이 없사오리이까? 왕이 내게 이르시되, 그러면 네가 무엇을 원하느냐 하시기로 내가 곧 하늘의 하나님께 묵도하고 왕에게 고하되, 왕이 만일 즐겨하시고 종이 왕의 목전에서 은혜를 얻었사오면 나를 유다 땅 나의 열조의 묘실 있는 성읍에 보내어 그 성을 중건하게 하옵소서 하였는데"(1-5절).

느헤미야는 임금에게 술을 따르는 관원이었다. 여기서 '관원'

을 가리키는 히브리어 '싸르'는 '장관'을 뜻하기도 한다. 따라서 느헤미야는 상당히 높은 직책의 관리였다.

문민정부 시절 청와대 부속실장이 뇌물 사건에 연루되어 구속된 적이 있다. 그가 하는 일은 대통령의 옷을 골라 주거나 넥타이를 선택해 주거나 혹은 가서 시장을 봐 오는 등 권력과는 전혀 무관한 일이었다. 그런데도 수많은 기업가와 공직자들이 그에게 돈을 가져다 주었다. 그것은 그가 최고 권력자인 대통령 가장 가까운 곳에 있는 사람이었기 때문이다.

이런 관점에서 볼 때, 절대 권력자인 왕에게 술을 직접 따를 수 있는 느헤미야의 직책은 권력의 속성상 상당한 자리이었음에 틀림없다. 그런데 술을 맡은 관원은 언제나 지켜야 할 철칙이 있었다. 술 마시는 왕의 마음을 즐겁게 해 주어야 한다는 것이다.

그런데 술을 따르는 느헤미야의 얼굴에 수심이 가득 차 있었다. 왕이 이유를 묻자 느헤미야는, 하나님의 도성인 예루살렘이 황폐해졌기 때문이라고 대답했다. 그러자 왕이 느헤미야에게 물었다.

"그러면 네가 무엇을 원하느냐?"

그 순간이야말로 자신의 입신영달을 부탁할 수 있는 최상이자 유일한 기회였다. 그러나 느헤미야는, 자신을 예루살렘에 보내어 예루살렘 성을 재건할 수 있게 해 달라고 부탁했을 뿐이다.

절대 권력자 곁에 있는 자는 절대 권력자와 더 가까운 거리를 유지하기 위해 안달하는 법이다. 그러나 느헤미야는 권력과는 전혀 동떨어진, 하나님의 도성을 재건하는 일을 맡겨 달라고 부탁했다. 느헤미야는 정말 경건한 사람이었다. 그리하여 경건한 느헤미야를 통하여 예루살렘 성이 재건되어, 바벨론 포로 생활로부터 되돌아온 이스라엘 백성들이 바른 신앙 생활을 할 수 있는 토대가 마련되었다.

지금까지 살펴본 성경 속의 인물 네 사람에게서 우리는 공통점을 발견할 수가 있다. 그들은 모두 성전 안에서뿐 아니라 삶의 현장에서 경건했고, 삶의 현장에서 경건한 그들을 통하여 하나님께서는 그 시대의 역사를 새롭게 하셨다는 것이다.

이 시대를 사는 청년들이여!

오늘 이 시대야말로 그 어느 때보다도 경건한 사람들을 요구하고 있다. 한번 둘러보라.

피혁용 가죽을 소고기 국밥 고기라고 속여서 파는 세상이다. 죽었거나 병든 소를 몰래 도축해서 정상적인 소고기에 섞어서 파는 세상이다. 한 동네의 아이로부터 어른에 이르기까지 열한 명이 10대 소녀 한 명을 돌아가며 강간하는 시대이다. 심지어는 아버지와 아들이 함께 자기 집에 하숙하는 여중생을 강간하는 세상이다. 총선에서 법정 비용만을 쓰고서 당선된 국회의원이 있다고는 아무도 믿지 않는다. 그럼에도 불구하고 선관위에서는, 의원들이 제출한 서류를 검토해 보니 이상을 발견할 수 없다고 발표하는 정도의 세상이 우리 나라이다.

중요한 것은, 만약 청년들이 지금부터 경건한 삶을 스스로 훈련하지 아니하면, 그대들 역시 공범이 되고 만다는 사실이다. 그 피해는 두말 할 것도 없이 그대들 자신에게로 되돌아간다.

그러므로 오늘을 사는 청년들은 그 어느 때보다도 경건을 훈련하고 반복하는 자들이 되어야 한다. 그대만이라도 경건을 훈련하면 이 사회는 소망이 있다. 하나님께서는 경건한 한 사람을 통하여 그 시대의 역사를 새롭게 하시는 분이시기 때문이다.

크리스천과 은혜

나의 나된 것은 하나님의 은혜로 된 것이니……
오직 나와 함께하신 하나님의 은혜로라 고전 15:10

크리스천들이 가장 빈번하게 쓰는 단어 중 하나는 '은혜'일 것이다. 많은 사람들이 은혜라는 말을 한다. 심지어는 "은혜 많이 받았다"거나 "은혜 많이 받으십시오"라고 인사말로 사용하기도 한다. 그러나 은혜라는 말을 이처럼 자주 사용하는 데 비하여, 그 뜻을 정확하게 아는 사람은 매우 드물다.

고린도전서 15장 9절은 이렇게 증거하고 있다.

"나는 사도 중에 지극히 작은 자라. 내가 하나님의 교회를 핍박하였으므로 사도라 칭함을 받기에 감당치 못할 자로다."

사도 바울은 자기 자신을 가리켜서 "사도"라고 말하고 있다.

누구든지 예수 그리스도를 믿으면 하나님의 자녀가 된다. 그리고 그리스도의 제자가 된다. 또 서로 성도라고 부른다. 그뿐 아니라 신앙의 연륜이 거듭되어 갈수록 신약성경에 나타나 있는 여러 직분들을 얻게 된다. 집사라든지 장로 또는 목사가 될 수도 있다. 그러나 아무리 세월이 흘러가도 신약성경에 나타나 있는 직분 중에서 다시는 얻지 못할 직분이 있다. 그 직분이 바로 '사도' 인 것이다.

사도란, 예수 그리스도께서 이 땅에 살아 계실 때 그리스도를 직접 뵙고 그분에게서 직접 말씀을 배웠던 사람들, 그 사람들만을 국한하여 부르는 호칭이다. 따라서 예수 그리스도께서 승천하신 뒤에는 사도가 새로이 생겨날 수가 없었다. 물론 주님을 배신했던 가룟 유다를 대신하여 맛디아가 사도직을 계승했지만, 그 역시 주님을 직접 뵙고 직접 말씀을 배웠다는 점에서 보자면 예외였던 것은 아니다.

그러나 딱 한 사람의 예외가 있었다. 바로 바울이었다. 바울은 예수 그리스도께서 이 땅에 육신을 입고 오셔서 활동하시는 동안 자신의 눈으로 육신이신 예수 그리스도를 만난 적이 없었다. 육신을 입고 오신 예수 그리스도로부터 직접 말씀을 배운 적도 없다. 따라서 바울은 사도가 될 자격을 갖추지 못한 사람이었다. 그뿐 아니라 그 자신의 고백처럼, 예수 그리스도를 믿는 사람들을 죽이고 핍박하던 자였기에 그는 더더욱 사도가 될 수 없었다. 그럼에도 바울은 그 모든 장애물을 뛰어넘어 자타가 공인하는 사도가 되었다. 어떻게 그것이 가능했을까?

고린도전서 15장 10절을 통해 사도 바울은 다음 세 가지를 고백하고 있다.

첫째, "나의 나 된 것은 하나님의 은혜로 된 것이다."

도저히 사도가 될 수 없는 자신이 주님의 사도가 될 수 있었던 것은, 오직 예수 그리스도의 은혜 때문이었다는 고백이다. 우리는 여기에서 대단히 중요한 교훈을 얻는다. 주님의 은혜를 받기만 하면, 주님의 은혜 안에 있기만 하면, 살인자 같은 불한당도 예수 그리스도의 사도로 거듭날 수 있다는 사실이다.

둘째, "내게 주신 그의 은혜가 헛되지 아니하여 내가 모든 사도보다 더 많이 수고하였다."

사도 바울은 주님께서 자기에게 주신 은혜가 헛되지 아니했다고 고백했다. 이것을 바꾸어 얘기한다면, 어떤 사람들은 주님의 은혜를 받고서도 그 은혜를 헛되이 소진해 버리기도 한다는 의미이다.

셋째, "내가 모든 사도보다 더 많이 수고하였으나 내가 아니요 오직 나와 함께하신 하나님의 은혜 때문이다."

다른 그 어떤 사도보다도 더 열심히 수고할 수 있었던 것 역시 하나님의 은혜 덕분이었다는 고백이다. 풀이하자면 다른 사도보다 하나님께로부터 더 큰 은혜를 받았기 때문에 더 큰 수고를 행할 수 있었다는 말이 된다.

이렇듯 은혜는 참으로 중요하다. 은혜만 받으면 어떤 죄인도 사도 같은 삶을 살게 된다. 은혜만 받으면 예수 그리스도를 위하여 그 누구보다도 수고하는 자가 될 수 있다.

그렇다면 이처럼 중요한 은혜가 대체 무엇인지 구체적으로 아는 것이 절실히 요구된다. 그래야 우리가 늘 은혜 속에 거할 수 있을 뿐 아니라, 은혜를 받고서도 헛되이 소멸하는 어리석은 자가 되지 않을 수 있다.

은혜를 그리스어로는 '카리스'라고 한다. 이 단어는 여러 가지 구체적인 뜻을 갖고 있다. 성경을 찾아가면서 살펴보기로 하자.

누가복음 2장 52절은 이렇게 증거하고 있다.

"예수는 그 지혜와 그 키가 자라가며 하나님과 사람에게 더 사랑스러워 가시더라."

이 구절에서 '사랑'이라고 하는 단어가 바로 카리스이다. 결국 우리가 주님께 '은혜를 받았다'는 말은 '주님의 사랑으로 채움 받았다'는 의미이다.

그렇다면 우리가 은혜 받은 증거는 어디에서 드러나는가? 우리의 심령 속에 주님의 사랑이 충만함으로써 드러나는 것이다. 은혜를 받으면 밉던 사람이 더 이상 미워지지 않는 이유가 여기에 있다. 하나님의 사랑이 우리 안에 채워지면 그 사랑으로 인해 사람을 사랑하게 된다. 만약 하나님의 은혜를 받았다고 하면서도 그 이전에 미워하던 사람을 여전히 미워하고만 있다면 그것은 성경이 말하는 은혜일 수는 없다.

사랑을 받는 사람만 사랑하게 되어 있다. 우리가 주님에게 은혜를 구한다 함은, 주님의 사랑으로 우리를 채워 주시기를 구하는 것이다. 적어도 은혜 받은 사람은, 적극적으로 사랑하지는 못할지언정 미워하지는 않는 법이다.

'싫어한다'와 '미워한다'는 동일한 말이 될 수 없다. 밥상 위에 올라 있는 여러 반찬 중에 싫어하는 반찬이 있을 수 있다. 그것이 죄가 될 수는 없다. 그러나 미워하는 것은 죄가 된다. 미워하는 것은 마음 속으로부터 상대를 부정하고 죽여 버리는 것이기 때문이다. 적어도 은혜 받은 사람, 주님의 사랑으로 채워진 사람은 마음 속으로 더 이상 사람을 살인하지 않는다.

사도행전 2장 47절은 이렇게 증거하고 있다.

"하나님을 찬미하며 또 온 백성에게 칭송을 받으니 주께서 구원받는 사람을 날마다 더하게 하시니라."

이 구절에서 '칭송'이라는 단어가 바로 카리스이다. 따라서 우리가 주님께 은혜를 받았다고 말한다면, 그것은 주님의 칭찬과 격려를 받았음을 의미한다.

우리는 하나님께 두 렙돈의 적은 헌금을 바쳤던 과부 이야기를 잘 알고 있다. 부자들이 금화를 보란 듯이 헌금함 속에 던져 넣을 때, 그 가난한 과부는 지금 우리 돈으로 2원 정도의 지극히 적은 돈을 부끄럽게 넣었다. 그 때 주님께서 저 여인이야말로 누구보다 더 많은 것을 하나님께 바쳤다고 칭송해 주셨다. 그것이 그 여인에게는 은혜였다. 그 은혜를 입은 과부가 그 이후로 얼마나 자신에 찬 삶을 살았을지는 생각하는 것만으로도 감동적이다.

사람의 칭찬, 상관의 칭찬을 받아도 사람들은 신이 난다. 하물며 하나님의 칭찬, 하나님의 격려, 하나님의 칭송을 받는 자는 어떻겠는가? 그가 더욱 진리의 삶을 살아가리라는 것은 자명하다. 이처럼 은혜를 받는다는 것은 하나님의 칭송을 받는 것을 의미하기에, 정말 은혜를 받은 자는 자기 열등감에 빠지질 않는다. 내가 가진 것이 없어도, 내 상황이 열악해도, 주께서는 네가 최고라며 언제나 나를 격려하시기에, 그분 안에서 오히려 나를 진리로 더욱 가꾸어 가는 법을 터득하게 되는 것이다.

또 사도행전 24장 27절에는 이런 말씀이 나온다.

"이태를 지내서 보르기오 베스도가 벨릭스의 소임을 대신하니

벨릭스가 유대인의 마음을 얻고자 하여 바울을 구류하여 두니라."

여기서 '마음'이라고 하는 단어가 카리스이다. 그러므로 우리가 하나님으로부터 은혜를 받았다고 하는 말은 하나님의 마음을 송두리째 받았음을 의미한다. 하나님으로부터 은혜를 받았다는 것은 더 이상 내가 편협한 마음을 지니지 않게 되었음을 의미한다. 따라서 내가 생각하고 수용하는 범위가 달라지게 된다.

다윗을 생각해 보자. 다윗에게는 자기를 죽이려고 했던 아들 압살롬이 있었다. 그러나 그는 압살롬을 미워할 수가 없었다. 그랬기에 그 아들이 죽었다는 이야기를 들었을 때 다윗은 기뻐한 것이 아니라 문루 위에 올라가서 "내 아들, 내 아들, 내 아들 압살롬아" 하면서 통곡하였다. 그것은 인간의 마음이 아니었던 것이다. 인간의 마음이라면 자기에게 칼을 들이댄 자식의 죽음을 기뻐했을 것이다. 그러나 다윗은 하나님의 마음을 얻은 자였던 것이다.

하나님의 마음을 얻지 아니하면 인간의 마음은 부드러움과 너그러움을 가질 수가 없다. 신앙인이 반드시 지녀야 할 마음이 있다면 그것은 부드러운 마음과 너그러운 마음이다. 그리고 그런 마음은 은혜를 받은 자만이 가능하다.

어떤 사람의 곁에 있으면 그가 아무 말 하지 않아도 마음이 포근해진다. 반면에 어떤 사람 곁에만 있으면, 그가 편안하게 있으라고 아무리 말을 해 주어도 까닭 없이 마음이 불안하고 불편해진다. 그 차이는 은혜를 받은 자냐 아니냐의 차이다. 내가 은혜를 받아 주님의 마음을 얻지 못하면, 내 곁에서는 사람이 안식을 얻을 수 없다. 나의 가족이라 할지라도 말이다.

골로새서 3장 16절은 또 다음과 같이 증거하고 있다.

"그리스도의 말씀이 너희 속에 풍성히 거하여 모든 지혜로 피차 가르치며 권면하고, 시와 찬미와 신령한 노래를 부르며 마음에 감사함으로 하나님을 찬양하고."

바로 이 구절에서 '감사'라는 단어가 카리스이다. 즉 매사에 감사하는 마음을 갖는 것, 그것이 바로 은혜 받은 증거가 된다. 우리는 흔히 하나님 아버지께서 나와 함께하신다는 사실을 믿는다고 고백한다. 정말 하나님께서 우리가 어디를 가든지 우리와 함께 동행하시고 우리 곁에 계심을 믿는지 믿지 않는지 가장 쉽게 확인하는 방법이 있다.

범사에 감사하는 사람이면 자신에게 어떤 일이 일어나든 그는 자신과 함께하시는 하나님을 믿는 자이다. 그는 자신과 함께하시는 하나님의 더 좋으신 계획을 신뢰하기에 감사치 않을 수 없는 것이다. 만약 자기 생각이나 계획과 다른 상황이 벌어졌을 때 감사하기는커녕 오히려 근심하고 불평한다면, 그는 결국 하나님께서 그 상황 속에 자신과 함께하고 계심을 믿지 못하고 있는 것이다.

지금 현재 자신을 돌아보라. 자신의 감사의 조건이 하나님을 믿지 않는 자들과 늘 동일하다면 그는 아직까지 은혜 받은 사람이 아니다. 은혜를 받았다면 병이 들었다 해도 감사한 일이요, 지금 가난해도 감사한 일이요, 자신의 계획이 틀어져도 감사할 수밖에 없다. 그 상황 속에서 전능하신 하나님의 역사가 일어나고 있음을 믿는 까닭이다. 이처럼 감사하는 마음이 모든 상황을 뛰어넘게 하고 모든 상황을 극복하게 하는 힘이 되는 것이다.

빌레몬서 1장 7절을 찾아보기로 하자.

"형제여, 성도들의 마음이 너로 말미암아 평안함을 얻었으니 내가 너의 사랑으로 많은 기쁨과 위로를 얻었노라."

여기서 '기쁨'이라는 단어가 카리스이다. 하나님께로부터 은혜를 받는다는 것은 하나님으로부터 기쁨을 얻는 것을 의미한다. 참된 기쁨은 언제든지 하나님으로부터만 주어진다. 은혜는 곧 기쁨이다.

하박국 선지자가 은혜를 받았다. 그리고 나서 그는 다음과 같이 고백했다.

"비록 무화과나무가 무성치 못하며 포도나무에 열매가 없으며 감람나무에 소출이 없으며 밭에 식물이 없으며 우리에 양이 없으며 외양간에 소가 없을지라도, 나는 여호와를 인하여 즐거워하며 나의 구원의 하나님을 인하여 기뻐하리로다"(합 3:17, 18).

사람들은 무화과나무 열매가 무성해야 기뻐하고, 우리에 양이 가득해야 즐거워한다. 그래서 우리가 비어 있으면 슬퍼하고, 무화과나무가 말라 버리면 절망한다. 그러나 하박국 선지자는 그 모든 것이 없었음에도 불구하고 기뻐했다. 하나님께로부터 은혜를 받았기 때문이다.

이처럼 하나님께로부터 주어지는 절대적인 기쁨, 영적인 기쁨이 있을 때, 그것은 인간의 모든 한계 상황을 초월하는 창조적인 힘이 된다. 그것이 바로 은혜이다.

이제 베드로전서 2장 19절을 살펴보자.

"애매히 고난을 받아도 하나님을 생각함으로 슬픔을 참으면 이는 아름다우나."

바로 여기에서 '아름답다'는 단어가 카리스이다. 따라서 하나님께로부터 은혜를 받는다는 것은 하나님의 아름다움을 입는 것을 말한다.

미국의 대중가수 마돈나를 알 것이다. 그녀가 가는 곳마다 많은 사람들이 열광을 한다. 그리고 그녀의 음반은 전 세계적으로 엄청나게 판매되고 있다. 그녀가 가는 곳마다 매스컴은 그녀를 따라다닌다. 그렇다면 그 세계적인 가수 마돈나는 과연 아름다운 사람인가? 마돈나의 노래에 열광하는 팬들조차도 그녀를 지순하고 아름다운 사람이라고는 생각하지 않을 것이다.

아름다움은 그런 것이 아니다. 진정한 아름다움은 눈이 아니라 마음으로 보는 것이다. 비록 그 행색이 초라할지라도, 비록 가다듬지 못했다 할지라도, 사람의 마음을 움직이는 아름다움을 지닌 자가 있다면 바로 그 사람이 은혜 받은 사람이다.

은혜는 사람을 아름답게 한다. 사람의 생각을 아름답게 하고, 사람의 마음을 아름답게 하며, 사람의 삶을 아름답게 한다. 그래서 이 세상의 그 어떤 보석보다도 사람이 더 깊은 아름다움을 지니고 있음을 보여 주게 된다.

이런 의미에서 은혜는 감동과 구별된다. 은혜가 감동을 포함할 수 있지만 은혜가 감동 그 자체를 의미하지는 않는다. 많은 사람들은 은혜와 감동을 혼동한다. 감동은 사람의 마음을 뒤흔들 수가 있다. 눈물을 흘리게 할 수도 있다. 그러나 감동은 사람으로 하여금 변화하게 하지 못한다. 극장에 가서 영화를 보면서 아무리 감동을 받아 손수건이 젖을 정도로 울었다 할지라도 그 때문에 사람의 삶이 변화되는 것은 아니다.

감동은 감동으로 끝난다. 그러나 은혜는 사람에게 감동을 주는 차원을 뛰어넘어 반드시 사람을 변화시킨다. 생각을 해 보라. 하나님의 사랑으로 심령이 채워졌고, 하나님의 격려 속에 있으며, 하나님의 기쁨이 충만하고, 하나님의 아름다움으로 덧입혀졌는데, 어찌 누군들 변화되지 않을 수 있겠는가?

그렇다면 어떻게 그 은혜 속에서 살아갈 수 있겠는가? 살인자를 주님의 사도 되게 하는 그 은혜를 어떻게 삶 속에서 누릴 수가 있는가?

민수기 6장 22절에서 26절 말씀을 주목해 보자.

"여호와께서 모세에게 일러 가라사대, 아론과 그 아들들에게 고하여 이르기를 너희는 이스라엘 자손을 위하여 이렇게 축복하여 이르되, 여호와는 네게 복을 주시고 너를 지키시기를 원하며 여호와는 그 얼굴로 네게 비취사 은혜 베푸시기를 원하며 여호와는 그 얼굴을 네게로 향하여 드사 평강 주시기를 원하노라 할지니라 하라."

이 말씀을 통해 하나님께서는 본래 인간들에게 당신의 은혜를 베풀어 주기 원하시는 분이심을 알 수 있다. 우리가 그 은혜를 어떻게 받을 수 있는가? 하나님께서는 은혜 베풀기 원하시는 분이시기에 우리는 그 은혜를 구하는 자가 됨으로써 그 은혜를 얻게 된다. 그런데 '하나님의 은혜를 구한다'는 것은 어떻게 하는 것을 말하는가? 가만히 자리에 앉아 "은혜를 베풀어 주시옵소서" 하고 입으로 말하기만 하면 된다는 뜻인가?

출애굽기 20장 6절을 통해 하나님께서 이렇게 말씀하셨다.

"나를 사랑하고 내 계명을 지키는 자에게는 천 대까지 은혜를 베푸느니라."

하나님의 말씀에 따라 살아가는 자에게 하나님께서는 더 큰 은혜를 베푼다고 약속하신 것이다.

또 잠언 11장 27절은 이렇게 증거한다.

"선을 간절히 구하는 자는 은총을 얻으려니와 악을 더듬어 찾는 자에게는 악이 임하리라."

여기서 선을 간절히 '구한다'는 것은 선을 간절히 '행한다'는 뜻이다. 하나님의 뜻에 따라 선을 간절히 행하려고 하는 자, 그에게 하나님의 은혜는 더 풍성하게 주어진다는 약속의 말씀이다.

마지막으로 야고보서 4장 6절에 나오는 구절이다.

"그러나 더욱 큰 은혜를 주시나니, 그러므로 일렀으되 하나님이 교만한 자를 물리치시고 겸손한 자에게 은혜를 주신다 하였느니라."

겸손하게 살아가는 자에게 하나님께서는 더 큰 은혜를 주신다는 말씀이다. 우리가 가만히 앉아서 말로만 은혜를 구하는 것이 아니라 이미 주님께서 주신 은혜 속에서 더더욱 주님을 위하여 변화되는 삶을 살아갈 때, 겸손하고 선을 행하고 말씀을 따르는 구체적인 변화의 삶을 살아갈 때, 하나님께서는 그 은혜가 헛되지 아니하도록 더 큰 은혜를 채워 주신다는 사실을 알게 된다.

적어도 은혜의 세계에서는 언제든지 빈익빈 부익부의 원칙이 적용된다. 은혜를 받은 자가 그 은혜를 헛되이 소멸시킬 때 주님께서는 있는 은혜까지도 빼앗아 가시고, 주님의 은혜를 잘 갈무리하여 주님을 위해 변화하는 삶으로 보답해 갈 때 하나님께서는 더 큰 은혜를 채워 주신다.

이 사실을 주님께서는 마태복음 25장 14절에서 30절에 나오는 달란트 비유를 통하여 일깨워 주고 계신다.

"무릇 있는 자는 받아 풍족하게 되고, 없는 자는 그 있는 것까지 빼앗기리라"(29절).

청년들이여!

우리는 모두 주님께로부터 은혜를 받은 사람이다. 은혜를 받지 아니했다면, 우리 중 한 사람도 지금 크리스천으로 살아가고 있는 사람은 없을 것이다. 그렇다면 우리는 지금 두 가지를 마음 속에 새겨야 한다.

첫째는 주님께서 주신 은혜를 결코 헛되이 소멸하는 자가 되어서는 안 된다는 것이요, 둘째는 은혜를 주신 주님을 위하여 모든 수고를 아끼지 않는 주님의 종들이 되어야 한다는 것이다.

은혜를 주신 분은 하나님이시지만, 주신 은혜를 갈무리하는 것은 그대들의 책임이다. 이미 주신 은혜를 힘입어 날마다 변화되어 가는 삶으로 주님을 위해 모든 수고를 아끼지 않을 때, 주님께서는 날로 더 큰 은혜를 넘치게 부어 주신다.

나사렛에 있는 가난한 처녀 마리아에게 천사가 나타나 말했다.

"마리아야, 무서워 말라. 네가 하나님께 은혜를 얻었느니라."

하나님께로부터 은혜를 얻었다는 사실을 아는 순간부터 그 은혜가 헛되이 소멸되지 않도록 마리아가 하나님의 말씀을 그 삶으로 품었을 때, 길이요 진리요 생명이신 예수 그리스도를 잉태하는 창조의 자궁이 될 수 있었다.

하나님의 은혜의 위력은 그 어떤 폭탄보다도 강하다.

크리스천과 영감

당신의 영감이 갑절이나 내게 있기를 구하나이다 **왕하 2:9하**

모 재벌 총수가 기술 개발의 중요성을 강조하던 중에 "한 사람의 기술이 백만 명을 먹여 살린다"는 말을 했다. 이것은 결코 빈말이 아니다. 아니 한 사람의 기술은 단지 백만 명 정도가 아니라 수천만 명, 수억만 명을 먹여 살릴 수도 있다.

1769년에 제임스 와트는 방에 있는 난로 위의 주전자에서 물이 끓는 동안 뚜껑이 움직이는 것을 보고 증기기관을 발명했다. 거대한 기계를 움직일 수 있는 원리를 발견한 것이다. 그 이후에 일어난 산업 혁명과 기술의 발전은 전 세계적으로 엄청나게 많은 사람들을 먹여 살렸다.

1813년에는 스티븐슨이 바로 그 증기기관을 이용하여 증기기차를 만들었다. 그 이후 일본의 신칸센이나 프랑스의 떼제베(TGV)에 이르기까지 기차는 전 세계적으로 괄목할 만한 발전을 이루어

왔다. 이 기차와 관련해서 전 세계적으로 먹고 사는 사람들의 숫자가 얼마나 많겠는가?

마차를 타고 여행하다 갑자기 말이 쓰러지는 바람에 속수무책으로 밤을 꼬박 새워야만 했던 포드가, 말이 없이도 달릴 수 있는 마차를 만들기로 하고 자동차를 발명한 것이 1892년이었다. 그로부터 100년이 지난 오늘날 우리 나라에도 여러 자동차 회사들이 있다. 그 자동차 회사들과 관련된 하청공장이나 업체에서 근무하는 사람들과 부양 가족들을 따진다면, 우리 나라에서만도 능히 백만 명 이상이 자동차로 먹고 살아가고 있을 것이다.

1903년에 라이트 형제는 비행기를 발명했다. 그 이후 1919년 네덜란드의 KLM이 최초의 민간항공회사로 발족한 이래 항공망은 전 세계에 거미줄처럼 퍼져 있다. 그러니 비행기로 먹고 사는 사람들은 또 얼마나 많겠는가? 확실히 한 사람의 기술은 백만 명을, 천만 명을, 아니 세대를 거듭하면서 수억만 명을 먹여 살릴 수 있다.

그러나 다른 한편으로 곰곰이 생각해 보면, 이것이 결코 긍정적인 것만은 아니라는 사실을 알게 된다. 산업혁명, 즉 소위 기술문명이 일어난 뒤에 인간의 교육은 산업사회에 적합한 사람을 길러내는 것으로 축소되었다. 말하자면 교육의 목적이 기술산업의 도구를 만들어 내는 데 있게 된 것이다. 그 결과 교육의 양은 많아졌음에도 불구하고 그 교육이 인성을 강화시켜 주지 못했다.

오염 문제는 또 어떠한가? 오늘날 심각한 오염을 일으키고 있는 모든 오염원들은 바로 인간이 발전시킨 산업기술로 야기된 것이다. 자동차의 배기가스 때문에 나무들이 말라 죽어 가고 있다.

공장에서 내뿜은 연기나 오폐수로 인해 공기와 강물이 오염되고 있다.

전라남도에 여수시가 있다. 그 곳이 얼마나 아름다웠으면 아름 답다는 뜻의 '여'(麗)자를 붙였을까? 그런데 그 곳이 공단으로 개 발되고 여천공단으로 이름이 바뀐 지금은 사람이 살 수 없는 곳이 되었다. 그 곳에서는 공해 때문에 많은 사람들이 죽어 가고 있고 또 직업병에 시달리고 있다. 한 사람의 기술이 수없이 많은 사람 들을 먹여 살리기는 하지만, 그 기술과 산업의 발전이 인간을 물 질의 노예로, 산업폐해의 피해자로 만들어 버린 것이다. 정신 문 명은 사라졌고, 소위 맘몬주의의 만연으로 인륜도 없어지고 도덕 도 땅에 떨어졌다.

한 사람의 기술은 능히 백만 명을 먹여 살린다. 그런데 그 한 사 람의 기술이 능히 천만 명을 죽일 수 있다. 그렇다면 어떻게 해야 하는가? 무엇보다 기술 개발만을 목적으로 삼아서는 안 된다. 기 술도 중요하지만, 그러나 그보다 더 중요한 무언가를 추구하지 않 으면 안 된다.

이런 의미에서 2800년 전에 이 땅에 살았던 혜안의 선지자, 정 말 필요한 것이 무엇인지 알며 미래를 내다볼 줄 알았던 한 시대 의 위대한 지도자를 만나 보기로 하자. 그의 이름은 바로 엘리사 이다.

엘리사에게는 엘리야라는 훌륭한 스승이 있었다. 엘리야는 누 가 참된 신인지를 밝히기 위하여 우상 숭배자 850명과 갈멜 산정 에서 대결을 벌여 하나님으로부터 불로 응답을 받았던 영감의 사람이었고, 죽은 자도 살려 낸 능력의 선지자였다. 당대에 그와 같은 선지자는 없었다.

그러나 뭐니뭐니 해도 엘리야를 유명하게 만든 것은 죽음을 거치지 않고 육신을 가진 채 승천했다는 사실이다. 얼마나 그 삶이 하나님의 영감으로 충만했으면, 얼마나 하나님 보시기에 아름다웠으면, 육신이 산 채로 하나님 나라에 들어갈 수 있었겠는가?

열왕기하 2장 7절에서 22절은 바로 이 영감에 찬 선지자 엘리야가 이 세상을 떠나 승천하는 날의 장면을 보여 주고 있다.

"엘리야가 엘리사에게 이르되, 나를 네게서 취하시기 전에 내가 네게 어떻게 할 것을 구하라. 엘리사가 가로되, 당신의 영감이 갑절이나 내게 있기를 구하나이다"(9절).

엘리야는 승천하기 직전 자기의 후계자 엘리사에게 무엇을 원하는지를 물었다. 엘리야는 굉장한 능력의 소유자였다. 어떤 것을 구하더라도 들어 줄 수 있을 것 같았다. 그러나 엘리사는 기술을 구하지 않았다. 부와 명예, 무병장수를 구하지도 않았다. 오직 엘리야가 가지고 있던 영감을, 그것도 갑절의 영감을 요구했다.

죽지 않고 산 채로 하나님 나라에 들어갈 정도라면 엘리야의 영감이 얼마나 충만했겠는가? 그렇다면 그 엘리야의 영감을 십분의 일만 얻어도 한평생 성자처럼 살아가기에 부족함이 없을 것이다. 그런데 엘리사는 스승이 가지고 있던 영감의 갑절을 구했다. 엘리사는 이 세상에서 그 무엇보다도 더 영감이 소중함을, 인간이 추구해야 할 것이 있다면 학문과 기술 이전에 바로 영감이라는 것을 분명하게 알고 있었던 혜안의 선지자였다.

영감이란 무엇인가? 영감은 히브리어로 '루아흐', 즉 영, 생명,

또는 호흡을 의미한다. 따라서 "저 사람은 영감이 충만하다"는 말은 "저 사람은 하나님의 영에 사로잡힌 자, 하나님의 생명이 충만한 자, 하나님과 더불어 호흡하는 자"라는 의미이다. 즉 "당신의 영감이 갑절이나 내게 있기를 구하나이다"라고 한 엘리사의 말은, 엘리야가 하나님의 영에 사로잡혔던 것보다 갑절이나 더 하나님의 영에 사로잡히기를 원한다는 것이다. 엘리야에게 충만했던 하나님의 생명력이 갑절이나 자기에게 충만하기를 원한다는 것이다. 엘리야가 하나님을 호흡했던 것보다 두 배나 더 하나님을 호흡하면서 살기를 원한다는 것이다. 이 얼마나 거룩한 소원인가? 얼마나 순수하고 아름다운 소망인가? 하나님 아버지께서 그처럼 아름답고 순수하고 거룩한 소원을 왜 들어 주시지 않겠는가?

엘리사가 원했던 대로 엘리야에게 주어졌던 영감보다 갑절이나 많은 영감이 주어졌을 때 엘리사에게 어떤 일이 일어났는가?

첫번째로 일어났던 일을 13절과 14절이 이렇게 증거하고 있다.

"엘리야의 몸에서 떨어진 겉옷을 주워 가지고 돌아와서 요단 언덕에 서서 엘리야의 몸에서 떨어진 그 겉옷을 가지고 물을 치며 가로되, 엘리야의 하나님 여호와는 어디 계시니이까 하고 저도 물을 치매 물이 이리저리 갈라지고 엘리사가 건너니라."

갑절의 영감을 얻은 엘리사 앞에 제일 먼저 일어난 일은 그를 가로막고 있던 요단 강이 갈라지는 것이었다. 이것은 무엇을 의미하는가? 하나님의 영감을 가진 자에게는 그 어떤 것도 장애물이 될 수 없다는 의미이다.

하나님의 영감이야말로 미래를 내다보는 힘이요, 장애물을 뛰어넘는 능력이요, 절망의 골을 메우는 다리이다. 하나님의 영감을 가진 자 앞에서는 그 어떤 것도 그를 가로막는 바리케이트가 될 수 없다. 영감에 찬 한 사람 모세가 있었을 때 홍해는 결코 장애물이 될 수 없었다. 이스라엘 모든 백성들이 이제 수장당하게 되었다며 울부짖었지만, 영감에 찬 모세 한 사람이 있었을 때 그들을 가로막고 있던 홍해는 갈라지고 말았다. 영감에 찬 여호수와 한 사람이 있었을 때, 인류 역사상 가장 오래된 8000년 역사의 여리고 성은 더 이상 장애물이 될 수 없었다. 영감의 사람 여호수아 앞에서 여리고 성은 추풍낙엽처럼 무너지고 말았다.

기술의 발전은 대단히 중요한 것이다. 기술의 발전은 우리의 경제력을 키워 주고 우리의 소득을 늘려 준다. 그러나 기술이 발전되고 산업이 발전되고 우리의 소득이 말할 수 없이 늘어났음에도 불구하고 세상은 혼돈하다.

산업은 인생이 어디로 나아가야 할지 그 길을 제시해 주지 못한다. 정치는 우리가 어떤 삶을 추구해야 할지 바른 삶의 길을 보여 주지 못한다. 모두들 경제와 기술 개발에 혈안이 되어 있지만, 인간이 진정 어떤 삶을 추구해야 할 것인지에 대해서만큼은, 사람들은 영감에 찬 종교인에게 묻고 있다.

기술 개발은 우리의 배는 부르게 할 수 있지만, 정작 우리 앞에 가로막혀 있는 존재적인 장애물을 제거해 주지는 못한다. 모든 존재적인 장애물은, 오직 하나님의 영감에 차 있는 사람들에 의해서만이 비로소 해체될 수 있는 것이다.

갑절의 영감이 임한 엘리사에게 두번째로 일어났던 일을 19절에서 22절이 이렇게 증거해 주고 있다.

"그 성 사람들이 엘리사에게 고하되, 우리 주께서 보시는 바와 같이 이 성읍의 터는 아름다우나 물이 좋지 못하므로 토산이 익지 못하고 떨어지나이다. 엘리사가 가로되 새 그릇에 소금을 담아 내게로 가저오라 하매 곧 가져온지라. 엘리사가 물 근원으로 나아가서 소금을 그 가운데 던지며 가로되, 여호와의 말씀이 내가 이 물을 고쳤으니 이로 좇아 다시는 죽음이나 토산이 익지 못하고 떨어짐이 없을지니라 하셨느니라 하니, 그 물이 엘리사의 말과 같이 고쳐져서 오늘날에 이르렀더라."

엘리사에게 갑절의 영감이 주어졌을 때 일어난 두번째 일은, 식물이든 사람이든 전혀 먹을 수 없는 죽은 물이 생명의 물로 되살아난 것이었다.

이미 말했듯이, 여리고는 세계에서 가장 오랜 역사를 지닌 성읍이다. 그 곳에 그만큼 오랫동안 사람이 살았다는 것은 사람이 살 만한 여건이 갖추어져 있었음을 뜻한다. 그런데 언제부터인가 땅이 황폐해지고 물이 나빠졌다. 환경이 오염된 것이다. 그리하여 여리고는 살 수 없는 곳이 되었다. 사람들은 이 상황 앞에 속수무책일 수밖에 없었다. 그런데 그 때 영감에 찬 엘리사 한 사람에 의해서 생명을 잃어 가던 그 여리고에 생명의 역사가 일어난 것이다.

기술 개발도 중요하다. 산업의 발전도 중요하다. 그러나 갈수록 우리의 환경은 오염되어 가고 있다. 발전되어 가는 만큼 우리의 인성은 황폐화되고 있다. 그러기에 영감이 있는 한 사람 한 사람에 의해서만 이 땅은 생명을 되찾을 수 있다. 영감을 가진 사람만이 기술 개발 그 자체를 목적으로 삼지 않고, 기술을 개발하고 산업을 부흥시키되 그 궁극적 목적을 생명에 둠으로써 사람과 자연을 동시에 살리는 자가 될 수 있다. 마치 엘리사가 여리고의 사람과 식물을 함께 살린 것처럼 말이다.

15절에서 18절까지의 말씀은 영감을 갖지 못한 사람들의 모습을 보여 주고 있다.

"맞은 편 여리고에 있는 선지자의 생도들이 저를 보며 말하기를, 엘리야의 영감이 엘리사의 위에 머물렀다 하고, 가서 저를 영접하여 그 앞에서 땅에 엎드리고 가로되 당신의 종들에게 용사 오십 인이 있으니 청컨대 저희로 가서 당신의 주를 찾게 하소서. 염려컨대 여호와의 신이 저를 들어 가다가 어느 산에나 어느 골짜기에 던지셨을까 하나이다. 엘리사가 가로되 보내지 말라 하나, 무리가 저로 부끄러워하도록 강청하매 보내라 한지라. 저희가 오십 인을 보내었더니 사흘을 찾되 발견하지 못하고 엘리사가 여리고에 머무는 중에 무리가 저에게 돌아오니, 엘리사가 저희에게 이르되 내가 가지 말라고 너희에게 이르지 아니하였으냐 하였더라."

이것은 엘리야 밑에서 함께 사사를 받았던 생도 50인의 이야기이다. 그들은 엘리사와 똑같이 엘리야를 스승으로 모시고 있었음에도 불구하고 영감을 구하지 않았다. 아니 영감의 중요성조차 알지 못했다. 그들은 엘리야가 승천하는 모습을 현장에서 목격하였음에도 불구하고, 하나님께서 그를 하나님 나라로 취하셨다고 생각한 것이 아니라 회오리바람에 날아가 버렸다고 생각했다. 그래서 엘리사의 만류에도 불구하고 어느 곳엔가 내동댕이쳐져 있을 엘리야의 시체를 찾기 위해 사흘이나 허비했다.

이들도 다 그 당시의 엘리트였을 것이다. 그러나 아무리 엘리트라도 영감이 없는 자들은 이처럼 눈에 보이는 것만을 추구한다. 그들은 과학적일 수 있고 논리적일 수 있다. 그 누구보다 기술 개발에 혁혁한 공을 세울 수도 있다. 그러나 영감이 없는 사람의 인생은 결국 시간 낭비에 지나지 않는다. 그는 지금 자신의 인생이 어디로 가고 있는지를 모르기 때문이다.

어느 시대 어느 역사를 막론하고 인류에게 불을 비추었던 사람들은 모두 영감을 추구했던 자들이었고, 또 영감을 가진 사람들이었다. 인류의 역사가 절망의 강에 가로막혀 있을 때, 그 강을 뛰어넘게 했던 사람들도 영감에 찬 사람들이었다.

주전 586년 예루살렘이 멸망하면서, 예루살렘 성민들 가운데 많은 이들이 바벨론 포로로 끌려갔다. 이국 땅에서 노예 생활을 한다는 것은 참으로 고달픈 일이다. 그 때 영감에 찬 선지자 이사야가 이스라엘 백성들을 향하여 이렇게 외쳤다.

"너희는 이전 일을 기억하지 말며 옛적 일을 생각하지 말라. 보라, 내가 새 일을 행하리니 이제 나타낼 것이라. 너희가 그것을 알지 못하겠느냐? 정녕히 내가 광야에 길과 사막에 강을 내리니 장차 들짐승 곧 시랑과 및 타조도 나를 존경할 것은, 내가 광야에 물들을 사막에 강들을 내어 내 백성 나의 택한 자로 마시게 할 것임이라. 이 백성은 내가 나를 위하여 지었나니 나의 찬송을 부르게 하려 함이니라"(사 43:18-21).

이스라엘 백성들은 영감에 찬 이 메시지에 힘을 얻었고, 마침내 때가 이르매 다시 예루살렘으로 귀환하여 그들의 도성을 재건하였다.

고린도 교회 교인들은 하나님의 영감을 구하지 않았다. 그들은 서로 사랑하는 법을 몰랐으며, 서로 질투하고 서로 시기하고 싸우는 일에 열심일 뿐이었다. 그 때 영감에 찬 사도 바울은 그들에게 이런 영감의 글을 보냈다.

"사랑은 오래 참고 친절합니다. 사랑은 시기하지 않으며 뽐내지 않으며 교만하지 않습니다. 사랑은 무례하지 않으며 자기의 이익을 구하지 않으며 성을 내지 않으며 원한을 품지 않습니다. 사랑은 불의를 기뻐하지 않으며 진리와 함께 기뻐합니다. 사랑은 모든 것을 덮어 주며 모든 것을 믿으며 모든 것을 바라며 모든 것을 견딥니다. ……그러므로 믿음 소망 사랑 이 세 가지는 항상 있을 것인데, 그 가운데서 으뜸은 사랑입니다"(고전 13:1-7, 13·표준새번역).

영감에 찬 바울의 이 메시지가 지나간 2000년 간 얼마나 많은 사람들의 삶 속에 생명과 사랑의 역사를 일으켰는지 모른다.

미국이라는 나라는 흑인 노예들을 부리던 나라이다. 링컨 대통령에 의해 흑인들이 해방을 얻기는 했지만, 인종 차별은 여전히 남아 있어서 1950년 무렵까지만 해도 백인들이 흑인들과 함께 농구를 하지 않을 정도였다. 오늘날 미국의 농구 스타들은 다 흑인이지만, 그것은 1950년대 말 이후부터의 일이다.

요즈음도 여전히 인종 차별이 있긴 하지만, 적어도 드러내 놓고 인종 차별적인 언행을 할 수는 없게 되었다. 만약 그랬다가는 법의 제재를 받아야만 한다. 1950년대에 흑인을 백인의 농구코트에 서지 못하게 했던 그 미국 사회에 이와 같은 변화를 일으킨 원인은 무엇이었을까? 그 이유는 한 사람의 영감에 찬 지도자에게 있다. 그는 우리가 너무나 잘 아는 마틴 루터 킹 목사다.

1963년 8월 28일, 마틴 루터 킹 목사는 워싱턴의 링컨 기념관 앞에 운집한 흑인들 앞에서 미국의 텔레비전이 생중계하는 가운데 그 유명한 설교를 했다.

"나의 친구 되는 여러분들에게 말씀드리고자 하는 것은, 우리가 현재나 미래에 어려움을 겪어야만 할지라도 나는 오늘 나눌 수 있는 꿈을 여전히 지니고 있다는 사실입니다.

나의 이 꿈은 언젠가는 이 나라가 각성하여 우리가 만든 법안의 진정한 의미를 살릴 수 있을 것이라는 미국의 꿈과 깊이 연결되어 있습니다. 모든 인간은 평등하게 창조되었다는 것을 우리는 자명한 진리로 받아들이고 있습니다.

나는 언젠가는, 피에 물든 조지아의 언덕에서 옛적 노예의 아들과 옛적 노예 소유주의 아들들이 형제애 넘치는 밥상에 함께 앉을 수 있을 것이라는 꿈을 지니고 있습니다. 나는 언젠가는 억압과 불의의 열기로 시달리고 있는 미시시피 주마저도 정의와 자유의 오아시스로 변모할 것이라는 꿈을 지니고 있습니다. 나는 언젠가는 나의 네 명의 어린 자녀들이 그들의 피부 색깔에 의해 판단 받지 않고 그들의 인격에 따라 판단 받을 나라에서 살게 될 것이라는 꿈을 지니고 있습니다.

오늘 나는 꿈을 지니고 있습니다. 나는 언젠가는 간섭과 약속 파기를 밥 먹듯이 입에 담고 다니는 앨라배마의 악독한 인종차별주의자들과 주지사를 깨부수고, 어린 흑인 소년 소녀들이 같은 형제 자매인 어린 백인 소년 소녀들과 손을 잡을 수 있을 것이라는 꿈을 지니고 있습니다.

오늘 나는 꿈을 지니고 있습니다. 나는 언젠가는 모든 골짜기가 높아지고 모든 산과 언덕이 낮아지며, 거친 땅이 평평해지며 구부러진 땅이 펴지며, 주님의 영광이 드러나 모든 사람들이 주님의 영광을 함께 보게 될 것이라는 꿈을 지니고 있습니다.

이것이 우리의 꿈입니다. 이것이 내가 남부로 되돌아갈 때에 가져갈 믿음입니다. 이 믿음을 지닐 때 우리는 희망의 돌멩이가 묻혀 있는 절망의 산을 개척할 수 있을 것입니다. 이 믿음을 지닐 때 우리는 우리 나라의 소란한 불협화음을 아름다운 형제애의 심포니로 바꿀 수 있을 것입니다. 이 믿음을 지닐 때 우리가 언젠가는 자유로워지리라는 것을 알고 함께 일하고, 함께 기도하며, 함께 투쟁하며, 함께 감옥에 가며, 함께 자유를 옹호할 수 있을 것입니다."

그가 말하는 꿈이란 망상이 아니라 비전이요 영감이었다. 그는 비록 흉탄에 쓰러졌지만, 영감에 찬 그의 메시지는 오늘도 미국 도처에서 울려 퍼지고 있다. 그리고 앞으로도 수없이 많은 백인들과 흑인들의 삶 속에 하나님의 생명을 불어넣어 줄 것이다.

오늘 우리 나라의 실상을 한번 살펴보자. 지난 30년 동안 기술 개발과 산업 진흥을 위해서 그토록 박차를 가했음에도 불구하고 우리의 경제는 총체적인 난국에 빠져 있다. 희한하게도 국제수지, 성장, 물가 모두가 절망적인 수치를 기록하고 있다. 정부조차도 대안을 갖고 있지 못하다. 우리는 이 절망의 강을 건너야 한다. 또한 온 국토가 오염되어 있다. 마음놓고 마실 물이 없고 마음놓고 호흡할 공기가 없다. 도덕이 땅에 떨어져서 패륜적인 사건이 매일 도처에서 일어나고 있다. 이제 어떻게 하겠는가?

경제도 중요하다. 기술 개발도 중요하다. 학문도 중요하다. 그러나 그것만으로는 되지 않는다. 그대들은 엘리사처럼 영감을 구해야 한다. 그대 학문에 하나님의 영감이 임하도록, 그대 직업 속에 하나님의 영감이 임하노록, 그대 가정에, 그대 일터 속에, 그대 예술 속에 하나님의 영감이 임하도록 구하는 자들이 되어야 한다.

하나님의 영감에 찬 한 사람에 의하여 한 민족은 절망의 강을 건널 수 있다. 하나님의 영감에 찬 한 사람에 의하여 무너졌던 한 민족의 역사는 새로워질 수 있다. 바로 그대 한 사람에 의하여 그 일은 일어날 수 있다.

새 역사의 막은 언제 오르나?

땅이 혼돈하고 공허하며 흑암이 깊음 위에 있고
하나님의 신은 수면에 운행하시니라 **창 1:2**

하나님께서 세상을 창조하실 때, 이 세계가 어떠했는지에 대해
창세기 1장 2절은 "땅이 혼돈하고 공허하며 흑암이 깊음 위에 있
었다"고 증거한다. 공허하고 혼돈하며 흑암이 있었다는 것은 한마
디로 카오스, 즉 무질서를 의미한다. 그 카오스 속에서 하나님의
새로운 역사, 창조의 역사는 시작되었다. 카오스가 코스모스, 즉
우주의 질서로 새롭게 바뀌게 된 것이다.

성경에서 구속의 역사는 출애굽 사건으로부터 시작된다. 가나
안을 향한 출애굽을 통하여 이스라엘에 또 다시 새로운 역사가 시
작된 것이다. 그 출애굽이 어디에서부터 시작되었는가? 바로 애
굽의 노예 생활에서 시작되었다. 지배하는 자에게는 노예가 재산
일는지 모르지만, 지배당하는 자에게는 그 생활이야말로 공허요
혼돈이요 흑암일 수밖에 없다. 노예 생활을 하는데 무슨 소망이

있겠으며 무슨 삶의 보람이 있겠는가? 바로 그 공허와 혼돈과 흑암 속에서 출애굽 새 역사의 막은 올랐다.

이스라엘 왕국은 다윗 왕조에 의해 새로운 출발을 맞이했다. 이스라엘의 첫번째 왕은 사울이었지만, 사울 왕조는 당대로 끝나 버리고 말았다. 사울 왕이 하나님께로부터 위임받았던 신성한 권력을 사유화함으로써 이스라엘 역사가 그의 욕망에 의해 오염되던 그 흑암의 시대에, 다윗 왕조의 새로운 역사가 시작되었다. 그리고 그 다윗에 의해 이스라엘 왕조는 반석 위에 세워지게 되었다.

예수 그리스도의 새 역사는 언제 시작되었는가? 이스라엘이 앗수르 제국, 바벨론 제국, 헬라 제국을 거쳐 로마 제국의 지배하에 있을 때였다. 이스라엘 땅덩어리는 로마 총독과 로마 황제에게 임명받은 분봉왕들에 의해 사분오열되고, 민중은 오직 착취의 대상으로 전락했을 때였다. 종교 집단은 부패할 대로 부패해서 오히려 사람들의 멍에가 되었을 때였다. 예수 그리스도께서는 그 흑암과 혼돈, 카오스 속에 임하셨고, 그 속에서 구원의 새 역사는 시작되었다.

종교개혁은 언제 일어났는가? 가톨릭 교회가 부패할 대로 부패하여 온 세상이 흑암 천지였을 때였다. 교회의 수장이던 교황이 권력과 신앙 양심을 맞바꾸었을 때였다. 사제들이 자신의 본능과 진리를 맞바꾸고 있을 때였다. 건물에 불과한 성전을 절대시하여 면죄부와 하나님의 말씀을 맞바꿀 때였다. 한마디로 모든 것이 공허하고 혼돈하며 흑암, 즉 카오스 속에 있을 때였다.

이상에서 살펴본 바와 같이 새로운 역사가 시작될 때에는 반드시 시대적인 공통점이 있다. 그것은 한 시대가 공허와 혼돈과 흑암 속에 빠져 있을 때, 카오스가 한 시대를 지배할 때, 바로 그 속에서 새로운 역사는 반드시 시작된다는 사실이다.

그렇다면 오늘 우리 사회를 한번 둘러보자. 도대체 우리 사회는 어떠한가? 총체적으로 부패해 있지 않은가? 우체국에 파견된 공익요원들에게 우편물을 도둑맞는 나라가 바로 대한민국이다. 선진국들은 우편 배달 사고가 1퍼센트 미만이라고 한다. 그런데 우리 나라에서는 분실률이 무려 5퍼센트를 넘는다. 사람들은 그 정도의 분실을 당연한 듯 생각했는데, 알고 보니 도적질이었다. 이런 세상이니 다른 것은 따져서 무엇 하겠는가?

공직 사회의 부패는 어제 오늘의 일이 아니어서 새삼스레 언급할 필요도 없다. 그렇다고 공직 사회만 부패한 것이 아니다. 민간 기업은 어떤 의미에서 공직 사회보다 더 부패해 있다. 검은 돈을 주지 않으면 거래가 성사되지 않는다. 교육계라고 해서 예외는 아니다. 어린아이들의 70퍼센트 이상이 자기들의 부모가 거짓말하며 산다고 믿는 세상 속에서 우리는 살아가고 있다. 돈만 있으면 주택가에도 얼마든지 술집이 들어설 수 있는 나라이기에, 이사를 가려면 그 동네가 환락가나 우범지대는 아닌지 먼저 따져 보아야만 하는 비극적인 시대이기도 하다.

언젠가 둘째 아이가 학교에 가려고 현관을 나서다 말고, 갑자기 "아빠! 엄마!" 하며 큰 소리로 불러 댔다. 집 마당 나뭇가지에 이상하게 생긴 새가 한 마리 앉아 있는 것을 보고 감격해서, 아빠 엄마도 함께 보자고 소리를 쳤던 것이다. 우리가 살고 있는 서울은 새 한 마리가 신기할 정도로 철저하게 자연을 상실한, 공허한 시멘트 도시이다.

모든 것이 철저하게 카오스인 세상, 공허하고 혼돈한 흑암 속에서 우리는 살아가고 있다. 이것은 하루 이틀의 이야기가 아니다. 그렇다면 여기서 대단히 중요한 사실이 깨달아지지 않는가?

지금이야말로 이 카오스 속에서 하나님의 코스모스가 시작될 때이다. 머지않은 장래에 이 카오스 속에 새 질서, 새 역사의 막이 반드시 오를 것이다. 우리는 이 시대에 태어난 것을 하나님께 감사드려야 한다.

서구 선진 사회를 여행하다 보면 우리의 조국인 대한민국이 한심하기 짝이 없어 보일 때가 많다. 그 사회와 우리 사회가 너무나도 비교되는 까닭이다. 그러나 다른 한편으로는 말할 수 없는 감사를 하나님께 드리게 된다. 이 나라가 카오스의 나라이기 때문에 우리는 하나님의 코스모스, 즉 새 역사의 일꾼으로 쓰임받을 수 있다는 사실 때문이다.

우리가 서구 선진 사회에서 태어났다면, 그 속에서도 얼마든지 보람 있는 삶을 살 수 있을 것이다. 그러나 잘 짜여진 사회 속에서 아무런 도전 없이 살아가는 것보다 우리의 삶에 의하여, 우리의 믿음과 의지에 의하여, 한 시대의 역사가 새로워지는 하나님의 코스모스의 도구로 살아갈 수 있다는 것은 얼마나 큰 시대적 은총인가?

총체적으로 카오스화되어 있는 이 세상 속에서 새 역사를 일구어 가는 하나님의 도구가 되기 위해서는 늘 준비된 자가 되어 있어야 한다. 새 역사는 준비된 자를 통해서만 이루어지기 때문이다. 그렇다면 무엇을 준비해야 하겠는가? 구체적으로 무엇을 길러야 하며 무엇을 경계해야 하겠는가?

먼저, 길러야 할 것을 생각해 보자.

첫째, 바른 시력을 길러야 한다.

사도행전에서 가장 중요한 인물이라면 말할 것도 없이 사도 바울이다. 사도 바울이 다메섹(다마스커스)으로 가는 길에 예수 그리스도를 만나 눈이 멀었다. 그의 눈은 아나니아라는 사람이 찾아와 안수했을 때 비로소 다시 열렸다. 성경은 그 순간에 바울의 눈에서 비늘이 벗겨졌다고 증거한다.

젊은 바울은 그 이전에도 세상을 분명히 보며 살았다. 그러나 그 모든 것은 비늘이 낀 눈으로 본 것이었다. 아나니아가 안수했을 때 그 동안 끼어 있던 세상의 백태, 세상의 비늘이 벗겨짐으로써, 비로소 그는 보아야 할 것을 바로 보는 사람이 되었다. 그는 세상의 카오스 속에서 코스모스의 빛을 본 것이다. 흑암을 밝히는 예수 그리스도의 빛 말이다.

40년 동안 미디안 광야에서 양치기로 전락한 채 살고 있던 모세가 어떻게 출애굽의 역사를 이루는 도구가 되었는가? 80세가 넘은 그의 눈으로 하나님을 보기 시작하면서부터였다. 하나님을 보기 시작하자, 이집트의 군사력도, 이집트의 힘도 두려울 것이 없었다. 홍해 앞에 서 있었을 때 모든 사람이 두려워했지만, 그만은 그 위기 속에서 함께하시는 여호와 하나님을 볼 수 있었다.

어떤 성도님이 내게 물었다.

"인도네시아의 수하르토가 수백억 달러의 재산을 은닉했다는데, 하루 아침에 실각한 지금도 그 재산을 과연 지킬 수 있을까요?"

내가 대답했다.

"아니오, 그 재산은 반드시 없어집니다!"

내가 그렇게 단언할 수 있었던 것은 하나님께서 살아 계시기 때문이다. 두고 보라. 불의하게 번 수하르토의 재산은 반드시 없어진다. 혹시라도 그가 그것을 지킨다면 그 불의한 재물 때문에 그의 자식들이 반드시 썩어 버리고 말 것이다.

그러므로 청년들이여, 불의하게 흥왕하는 자에게서 내일의 파멸을 보라. 오늘 정직하게 걸어가는 사람의 삶 속에서 하나님께서 주실 미래의 영광을 보라. 산 사람 속에서는 죽음을, 죽음 속에서는 영원한 생명을 보라. 바른 시력을 기르는 것으로부터 새 역사의 막은 오른다.

둘째, 바른 실력을 길러야 한다.

여기에서 실력이라는 것은 단순히 학문적인 실력만을 의미하지 않는다. 지식, 교양, 인격 등 모든 것을 포함하여 실력의 폭과 깊이와 높이를 배양해 가야 한다. 절대로 잊지 말라. 사도행전의 막은 베드로에 의해서 열렸지만, 예수 그리스도의 촛대는 베드로에서 사도 바울로 옮겨 갔다. 사도 바울이 없었더라면 사도행전은 결코 완결되지 않았을 것이다.

베드로와 바울의 차이가 무엇인가? 바울은 바른 실력을 길렀던 사람이다. 그는 하나님의 말씀을 깊이 깨달을 수 있는 실력을 가지고 있었고, 말씀을 바르게 적용할 수 있는 실력을 가지고 있었을 뿐 아니라, 말씀을 정확하게 표현할 수 있는 실력을 지니고 있었다. 신약성경 27권 가운데 무려 14권을 사도 바울이 썼다는 것은 결코 우연이 아니다. 그래서 혹자는 사도 바울이 없었다면 신약성경이 존재하지 못했을 것이고, 신약성경이 없었다면 기독교 자체가 생성되지 못했을 것이라고 한다. 어떤 의미에서 그 말은 과장이 아닐 수 있다.

모세는 실력을 갖춘 사람이었다. 그는 이집트의 왕궁에서 학문과 교양 그리고 왕족으로서의 인격을 함양했다. 출애굽의 대역사는 그를 통해 이루어졌다. 실력을 갖춘 자에 의해서만 새 역사는 참답게 전개된다. 실력을 갖추지 못한 사람도 새 역사의 대열에 동참할 수는 있으나, 그 새 역사는 그의 삶 속에서 굴절되거나 왜곡되고 만다.

셋째, 용기를 길러야 한다.

말씀대로 산다는 것, 진리대로 산다는 것은 용기를 필요로 하는 일이다. 경건의 훈련을 한다는 것 자체가 용기를 기르는 것이다. 용기 없이는 결단코 말씀대로 살 수가 없다.

우리 집 2층에는 홍성사 사무실이 있다. 어느 날 홍성사의 한 젊은이가 직접 사업을 하기 위해 퇴사하려는 계획을 가지고 있다는 이야기를 들었다.

나는 신학교에 입학한 뒤로 홍성사의 문제에 직접 관여한 적이 없다. 그러나 그 청년이 목사의 아들이었기에, 나 역시 네 명의 아들을 둔 목사로서 아버지의 심정으로 그를 만났다.

"정말 나가서 생각한 대로 사업할 수 있겠습니까?"

"할 수 있습니다."

"나는 하나님의 말씀을 따라 바르게 사업하기 위하여 가지고 있던 집을 팔았고, 또 나의 모든 재산을 포기했습니다. 오늘날 홍성사가 단 1원의 탈세도 하지 않고 정직하게 운영될 수 있는 것은 결코 우연의 결과가 아닙니다. 오늘이 있기까지 내게는 참으로 많은 용기가 필요했습니다. 당신에게도 이 용기가 있습니까? 그렇디면 지금이라도 나가서, 하나님 말씀대로 경영하고도 건재할 수 있는 기업을 또 하나 만드십시오. 그러나 지금 당장 그 용기가 없다면, 이 곳에서 몇 년 동안 그 용기를 기르십시오."

말씀대로 세상을 살아갈 용기가 있다면 구멍가게를 할지라도, 그 가게는 이 세상을 밝히는 빛의 통로가 될 수 있다. 그러나 교회를 열심히 드나들지언정 진리대로 살아가는 용기를 배양하지 않는다면, 또 한 사람의 바리새인이 될 뿐이다.

넷째, 있는 것을 소중히 여기는 마음을 길러야 한다.

다윗이 골리앗을 쓰러뜨릴 때 사용했던 것은 최신 병기가 아니라, 늘 손에 익숙하던 시냇가의 돌멩이였다. 모세가 출애굽의 대업을 이룰 때 사용했던 것 역시, 엄청난 액수의 군자금이나 군대가 아니라 손에 쥐고 있던 지팡이였다. 볼품 없어 보이지만 지금 있는 것, 그것을 통하여 하나님께서는 모세에게도, 다윗에게도 그의 역사를 이루셨다.

한국이 낳은 가장 걸출한 세계 바둑 기사로 자타가 공인하는 이창호 국수에 대해 모 일간지가 분석기사를 게재한 적이 있었다. 이창호 국수가 태어나서 자란 전주를 찾아가서 그가 자라온 모든 장소들을 두루 다니던 기자는 중요한 사실을 하나 발견했다. 이창호 국수의 조부와 부친은 대를 이어서 60년 동안이나 시계방을 경영하는 분들이었다. 그러니까 그는 태어났을 때부터 수많은 시계들의 똑딱거리는 소리를 들으면서 자랐던 것이다.

바둑을 좋아하는 사람은 다 알겠지만, 이창호 국수의 장점은 끝내기에 있다. 대개의 사람들은 바둑을 잘 두어 나가다가도 초읽기에 들어가면 일을 그르치고 만다. 그런데 이창호 국수는 초읽기에 들어갈 때 상대적으로 더 강해진다. 어릴 때부터 들었던 초침 소리이기에 긴장할 까닭이 없는 것이다. 그러니 초읽기가 아무리 길어져도 그가 당황하지 않는 것은 너무나 당연하다.

이창호 국수가 성장하기 전까지는 혹 어린 마음에 시계방 아들이라는 것이 때로 부끄러웠을는지 모르겠다. 그러나 그는 시계방 아들이었기 때문에 오늘날 세계를 제패하는 국수가 되었다.

사랑하는 청년들이여!

지금 옆에 계신 부모님의 처지에 감사하라. 지금 그대들이 처한 환경에 감사하라. 지금 그대들에게 주어진 여건에 감사하라. 하나님의 새 역사는 지금 그대들에게 있는 바로 그것을 통해서 시작된다.

마지막으로, 자기에게 맞는 옷을 선택하는 능력을 길러야 한다.

많은 사람들이 자기에게 맞지 않는 옷을 입고 싶어하고, 더 좋은 배우자, 더 좋은 직책, 더 많은 수입을 기대한다. 다윗이 골리앗을 무찌르겠다고 나섰을 때, 사울은 다윗에게 자신의 갑옷을 입혀 주었다. 그러나 그 갑옷을 입고 걸어 본 다윗은 이내 벗어 던지고, 평소에 입던 목동의 옷을 입고 나가 승리를 거두었다. 만약 다윗이 사울의 그 거추장스런 갑옷을 입고 나갔더라면 결코 돌멩이로 골리앗을 명중시키지 못했을 것이다. 그러나 다윗이 이스라엘의 장군이 되고 왕이 된 이후에도 목동의 옷을 입었던가? 그렇지 않았다. 장군이 되었을 때에는 장군의 옷을 입었고, 왕좌에 앉을 때에는 왕의 옷을 입었다.

아무리 보기 좋은 옷이라도 남이 입는다고 해서 따라 입으면 안 된다. 내가 입을 옷이 따로 있고, 입을 때가 따로 있다. 남들이 보기에 좋은 배우사라고 해서 절대로 행복해지지 않는다. 아직 능력이 없는데 높은 지위에 앉는 것은 모두를 망치는 첩경이다.

IMF 시대를 전후해서 물거품처럼 쓰러져 간 재벌 회사들의 공통점은, 능력 없는 2세들이 총수의 자리에 있었다는 것이다. 그들은 총수의 옷을 입지 말았어야 했다. 단지 재벌 총수의 아들로 태어났다고 해서 20대부터 능력을 갖춘 재벌 총수가 된다는 법은 절대로 없다. 그들이 그 옷을 10년 혹은 20년 후에 입는 지혜가 있었던들, 그처럼 허무한 결과를 초래하지는 않았을 것이다.

이번에는 경계해야 할 다섯 가지를 생각해 보자.

첫째, 자신의 자랑거리를 경계해야 한다.

세상 모든 것에는 반드시 명(明)과 암(暗)이 있다. 밝은 것에만 도취해서 그것만 자랑하다가는 자신도 모르는 사이에 어둠의 함정에 빠지게 되고 만다.

이스라엘의 초대 왕이었던 사울에 대해서 사무엘상 9장 2절은 이렇게 증거한다.

"기스가 아들이 있으니 그 이름은 사울이요 준수한 소년이라. 이스라엘 자손 중에 그보다 더 준수한 자가 없고 키는 모든 백성보다 어깨 위는 더 하더라."

적어도 사울은 왕이 되는 순간까지 이스라엘에서 경쟁자가 없을 정도로 출중한 사람이었다. 그러나 자신의 자랑거리를 과신하고 자신을 하나님보다 더 높였을 때, 그는 스스로 자신의 왕국을 허무는 어리석은 자가 되고 말았다.

아버지의 목에 칼을 들이댔던 다윗의 아들 압살롬을 아는가? 그 압살롬에 대해서 사무엘하 14장 25절에서 26절은 이렇게 증거 하고 있다.

"온 이스라엘 가운데 압살롬 같이 아름다움으로 크게 칭찬받는 자가 없었으니, 저는 발바닥부터 정수리까지 흠이 없음이라. 그 머리털이 무거우므로 연말마다 깎았으며, 그 머리털을 깎을 때에 달아 본즉 왕의 저울로 이백 세겔이었더라."

그는 머리끝에서 발끝까지 흠잡을 데가 없는 사람이었다. 특히 숱이 많은 그의 머리털은 제일의 자랑거리였다. 그런데 압살롬이 어떻게 죽었는지 아는가? 평소에 그토록 자랑하던 머리털이 상수 리나무에 걸려서 죽었다.

자랑거리를 경계하라. 자랑거리는 패망의 원인이다. 자기 자신 에게 자랑할 만한 좋은 것이 있는가? 그것을 자신의 자랑이 되게 하지 말고 예수 그리스도의 자랑이 되게 하라.

둘째, 피를 끓게 하는 사람을 경계해야 한다.

그대들이 절대 잊지 말아야 할 것은 심령이 뜨겁다는 것과 피가 뜨겁다는 것은 결코 동일한 말이 아니라는 것이다. 뜨거운 피가 뇌 속에 흐르면 사람은 흥분하게 되어 있고 반드시 판단을 그르치 게 된다. 그러나 심령은, 뜨거워질수록 머리를 냉철하게 만들기에 그 때의 판단은 그르치지 않는다. 청년들의 특징은 피가 뜨겁다는 것이다. 그러므로 본래 뜨거운 피에 불을 지르려는 사람들을 경계 해야 한다.

예전에 내가 외국인 회사에서 근무할 때, 독일 나치 부대의 일원으로 2차 대전에 참전했던 독일인이 있었다. 그가 속해 있던 부대에서도 수많은 젊은이들이 히틀러가 명령한 전장에서 죽어 갔다. 희생이 클수록 히틀러에 대한 불만이 고조된 것은 당연한 일이었다. 그런데 히틀러가 나타나 연설만 한 번 하면 순식간에 불만은 사라지고, 끓는 피를 주체하지 못한 젊은이들은 기꺼이 히틀러를 위해 죽었다는 것이다.

일본의 군부도 수없이 많은 젊은이들의 피를 끓게 하여, 그들을 죽음으로 내몰았다. 그러나 그 결과는 오직 파멸이었다. 사교(邪敎)의 특징 역시 피를 끓게 하는 것이다. 그래야 사람들을 맹신의 올가미에 묶어 둘 수 있기 때문이다.

그러므로 잊지 말라. 성령은 뜨겁게 역사하시나, 우리의 피를 뜨겁게 하시는 것이 아니다. 사도 바울이 오직 예수 그리스도의 복음을 들고 그토록 핍박의 길을 중단 없이 걸어갈 수 있었던 것은 결코 뜨거운 피 때문이 아니었다. 뜨거운 심령을 통한 이성적 분별 때문이었다. 만약 그가 피끓는 감정에 사로잡혀 뛰쳐나간 것이라면, 20년 이상이나 그 가시밭길을 초지일관 걸을 수는 없었을 것이다. 피끓는 감정으로는 수많은 점(點)을 찍을 수는 있으나 그 점들을 선(線)으로 연결시킬 수는 없다. 참된 신앙이란 점이 아니라 선이며, 그 선은 오직 뜨거운 심령에 바탕을 둔 이성적 분별에 의해서만 중단 없이 그어진다.

셋째, 낯선 길을 꺼리는 마음을 경계해야 한다.

사람들은 낯선 길을 두려워하며 익숙한 길만을 가려고 한다. 그러나 인간의 날은 결코 되돌아오지 않는다. 그러므로 우리가 걸어

가는 이 길은 어차피 한 번밖에 갈 수 없는 낯선 길이다. 산다는 것이 낯선 길이요, 30대에서 40대가 된다는 것이 낯선 길이요, 이 세상을 살다가 죽는다는 것이 낯선 길이다. 그 낯선 길을 꺼리지 않을 때, 우리는 새로운 역사의 장을 여는 사람들이 될 수 있다. 그 어떤 낯선 길이라 할지라도, 이미 그 길을 다 알고 계시는 우리의 인도자 예수 그리스도께서 계시지 않는가? 진리를 위해서라면 그 어떤 낯선 길이라도 두려워하지 않을 때, 바로 그 길 위에서 하나님의 역사는 우리를 통하여 펼쳐지는 것이다.

넷째, 사람들의 칭찬을 경계해야 한다.

적당한 칭찬은 격려가 될 수 있지만, 도가 지나친 칭찬은 우리를 파멸로 이끈다. 예수회의 르메로 신부는 "진리는 반대자들의 잦은 비방보다는, 옹호자들의 열광에 의하여 썩어 버린다"고 했다. 우리 자신에 대한 칭찬을 즐기기 시작하면 그 순간부터 우리는 썩기 시작한다. 칭찬보다는 자신에 대한 비판의 소리를 겸허히 들을 수 있어야 한다.

마지막으로, 결말을 보려는 유혹을 경계해야 한다.

사람들은 무슨 일을 하든 그 일의 결과를 자신이 직접 얻으려고 한다. 세상 사람들은 그럴 수 있다. 그러나 하나님의 새 역사의 도구가 되기 위해서는 그 유혹을 버려야 한다.

하나님은 영원한 분이시다. 하나님은 영원 속에서 일하는 분이시다. 그리고 우리에게는 하나님의 필요에 의하여 한 시대의 역할을 맡겨 주실 뿐이다. 따라서 내가 행하는 일의 결말을 보려고 할 때 우리는 하나님의 일을 그르치게 된다. 결말을 보시는 분은 내가 아니라 하나님이심을 인정하고 주어진 일에 충실할 때, 비로소 우리는 새 역사의 바른 통로가 될 수 있다.

이스라엘을 인도하는 모세의 사명은 가나안 언저리까지였다. 그는 요단강을 건널 수 없었다. 만약 그가 출애굽을 이끈 지도자라는 이유만으로 가나안이라는 결말까지 보려 했다면, 그는 가나안 언저리에 도착하기도 전에 파멸하고 말았을 것이다. 그래서 바울은, 우리는 심되 열매를 거두시는 분은 오직 하나님이시라고 했다.

사랑하는 청년들이여!

준비된 사람들이 되라. 하나님 아버지께서는 결코 이 시대만을 위하여 그대들을 부르신 것이 아니다. 이 나라의 100년 후 200년 후의 장래가, 오늘 그대들이 어떤 씨를 뿌리고 어떤 삶을 추구하느냐에 따라서 결정된다는 것을 잊지 말라.

하나님의 역사도, 민족의 장래도 영원하다. 그대들이 준비된 자가 되어 갈 때, 이 카오스의 세상 속에 하나님의 새 역사는 기필코 펼쳐질 것이다. 바로 그대들을 도구로 삼으셔서 말이다.

믿음의 글들

NO.	제 목	저 자	NO.	제 목	저 자
1	낮은 데로 임하소서	이청준	47	기도해 보시지 않을래요?	미우라 아야꼬/김갑수
2	재를 남길 수 없습니다	김 훈	48	십자가의 증인들	임영천
3	사랑의 벗을 찾습니다	최창성	49	이들을 보소서	이재철
4	그분이 홀로서 가듯	구 상	50	새롭게 하소서 ② (전2권)	고은아 엮음
5	당신의 날개로 날으리라	D.C. 윌슨/정철하	51	거지들의 잔치	도날드 비헬리/송용필
6	새벽을 깨우리로다	김진홍	52	내 경우의 삼청교육	임석근
7	사랑이여 빛일레라	구상·김동리 외	53	목사님, 대답해 주세요	박종순
8	나 여기에 있나이다 주여	박두진	54	위대한 신앙의 사람들	제임스 로슨/김동순
9	침묵	엔도 슈사쿠/공문혜	55	두번째의 사형선고	김 훈
10	새롭게 하소서 ①	기독교 방송국	56	구약의 길잡이	쟈끄 뮈쎄/심재을
11	생명의 전화 (절판)	생명의 전화 편	57	신약의 길잡이	쟈끄 뮈쎄/심재을
12	울어라 사랑하는 조국이여	앨런 페이튼/최승자	58	이상구 박사의 복음과 건강	이상구
13	제2의 엑소더스	신시아 프리만/이종관	59	이 민족을 주소서	한국기독여성문인회
14	기탄잘리 (절판)	R. 타고르/박희진	60	믿음의 육아일기	나연숙
15	성녀 줄리아	모리 노리꼬/김갑수	61	전도, 하면 된다	박종순
16	마음의 마음	김남조	62	영혼의 기도	이재철
17	이제와 우리 죽을 때에	김남조	63	주 예수 나의 당신이여	이인숙
18	위대한 몰락	엔도 슈사쿠/김갑수	64	뒷골목의 전도사	김성일
19	예수의 생애	엔도 슈사쿠/김광림	65	내 집을 채우라	김인득
20	그리스도의 탄생	엔도 슈사쿠/김광림	66	보니파시오의 회심 ①	권오석
21	너희에게 이르노니 (절판)	B.S.라즈니쉬/김석환	67	보니파시오의 회심 ② (전2권)	권오석
22	땅끝에서 오다	김성일	68	빛을 위한 콘체르토 ①	신상언
23	당신은 원숭이 자손인가	김석길	69	빛을 위한 콘체르토 ② (전2권)	신상언
24	세계를 변화시킨 13인	H.S. 비제베노/백도기	70	사랑은 죽음같이 강하고	김성일
25	어디까지니이가? (절판)	김 훈	71	너 하나님의 사람아 ①	서대운
26	주여 알게 하소서 (절판)	테니슨/이세순	72	너 하나님의 사람아 ② (전2권)	서대운
27	고통의 하나님 (절판)	필립 얀시/안정혜	73	속, 빛을 마셔라	김유정
28	각설이 예수	이천우	74	구원에 이르는 신음	신혜원
29	이디스 쉐퍼의 라브리 이야기 (개정판)	이디스 쉐퍼/양혜원	75	엄마, 난 하나님의 선물이에요	이건숙
30	땅끝으로 가다	김성일	76	홍수 以後 ①	김성일
31	광야의 식탁 ①	오성춘	77	홍수 以後 ②	김성일
32	광야의 식탁 ② (전2권)	오성춘	78	홍수 以後 ③	김성일
33	어머니는 바보야	윤 기·윤문지	79	홍수 以後 ④ (전4권)	김성일
34	벌거벗은 임금님 (절판)	백도기	80	히말라야의 눈꽃—썬다 싱의 생애	이기반
35	여자의 일생	엔도 슈사쿠/공문혜	81	여섯째 날 오후	정연희
36	이 땅에 묻히리라	전택부	82	주부편지 ①	한국기독여성문인회
37	말씀의 징검다리	정장복 · 김수중	83	러빙갓 (개정판)	찰스 콜슨/김지홍
38	해령(海嶺) 上	미우라 아야꼬/김혜강	84	거듭나기 ①	찰스 콜슨/이진성
39	해령(海嶺) 下 (전2권)	미우라 아야꼬/김혜강	85	거듭나기 ② (전2권)	찰스 콜슨/이진성
40	우찌무라 간조 회심기 (개정판)	우찌무라 간조/양혜원	86	이 때를 위함이 아닌지	임영수
41	지금은 사랑할 때	엔도 슈사쿠/김자림	87	가정, 그 선한 싸움의 현장	이근호
42	두려움을 떨치고	애블린 해넌/박정관	88	땅끝의 시계탑 ①	김성일
43	빛을 마셔라	김유정	89	땅끝의 시계탑 ② (전2권)	김성일
44	제국과 천국 上	김성일	90	하나님 하나님, 사랑의 하나님	이상구
45	제국과 천국 下 (전2권)	김성일	91	손바닥만한 신앙수필	김호식
46	천사의 앨범	하마다 사끼/김갑수	92	부부의 십계명	전택부 · 윤경남

NO.	제 목	저 자	NO.	제 목	저 자
93	저녁이 되며 아침이 되니	정연희	139	미팅 지저스 (절판)	마커스 보그/구자명
94	임영수 목사의 나누고 싶은 이야기	임영수	140	내 인생, 내 마음대로 할 수 있나요	김석태
95	사해(死海)의 언저리	엔도 슈사꾸/김자림	141	마음의 야상곡	엔도 슈사꾸/정기현
96	다가오는 소리	김성일	142	예수의 道	이기반
97	질그릇 속의 보화	낸시 쵸지/ 김애진	143	청정한 빛	서중석
98	그 그을음 없는 화촉의 밤에	이혜자	144	사랑은 스스로 지치지 않는다	샤를르 롱삭/정미애
99	주부편지 ②	한국기독여성문인회	145	빛으로 땅끝까지 ①	김성일
100	「믿음의 글들」, 나의 고백	이재철	146	빛으로 땅끝까지 ② (전2권)	김성일
101	양화진	정연희	147	평양에서 서울까지 47년	김선혁
102	무엇을 믿으며 어떻게 살 것인가	임영수	148	예수에 관한 12가지 질문	마이클 그린/유선명
103	실존적 확신을 위하여	구 상	149	내 잔이 넘치나이다	정연희
104	맹집사 이야기	맹천수	150	천사 이야기	빌리 그레이엄/편집부
105	무거운 새	김광주	151	도사님, 목사님	김해경
106	성탄절 아이	멜빈 브랙/손은경	152	이것이 교회다	찰스 콜슨/ 김애진 외
107	삶, 그리고 성령	임영수	153	현대인에게도 하나님이 필요한가	해롤드 쿠시너/유선명
108	왜, 일하지 않는가	찰스 콜슨·잭 액커드/김애진	154	배신자	스탠 텔친/김은경
109	겸손의 송가	문ούζ수	155	잊혀진 사람들의 마을 (절판)	김요석
110	김수진 목사의 일본 개신교회사	김수진	156	사이비종교	위고 슈탐/송순섭
111	산 것이 없어진다	이재왕	157	하나님이 고치지 못할 사람은 없다	박효진
112	기독교 성지순례와 역사	박용우	158	열린 예배 실습보고서	에드 답슨/박혜영·김호영
113	주여, 사탄의 왕관을 벗었나이다	김해경	159	죽음, 가장 큰 선물	헨리 나웬/홍석현
114	꼴찌의 간증	이건숙	160	우리는 낯선 땅을 밟는다	김호열
115	노년학을 배웁시다	윤정남	161	나의 세계관 뒤집기	성인경
116	일터에 사랑	토니 캄폴로/이승희	162	행동하는 사랑, 헤비타트	밀라드 폴러/김선형
117	시인의 고향	박두진	163	아브라함 ①	김성일
118	사도일기	나연숙	164	아브라함 ② (전2권)	김성일
119	믿는 까닭이 무엇이냐	임영수	165	회복의 목회	이재철
120	내게 오직 하나 사랑이 있다면	전근호	166	아가(雅歌)−부부의 성에 관한 솔로몬의 지혜	조셉 딜로우/김선형·김용교
121	땅끝의 십자가 ①	김성일	167	대천덕 자서전−개척자의 길	대천덕/양혜원
122	땅끝의 십자가 ② (전2권)	김성일	168	예수원 이야기−광야에 마련된 식탁	현재인/양혜원
123	가정의 뜻, 금혼잔치 베품의 뜻	전택부	169	희망의 사람들, 라르슈 (개정판)	장 바니에/김은경
124	너의 남자를 진정으로 사랑하려면	린다 딜로우/양은순	170	친구에게−우정으로 양육하는 편지	유진 피터슨/양혜원
125	사랑은 언제나 오래 참고	김성일 신앙간증집 ②	171	회복의 신앙	이재철
126	썬글라스를 끼고 나타난 여자	조연경 꽁트집	172	사랑으로 조국은 하나다	박세록
127	회개하소서, 십자가의 원수된 교회여	허 성	173	열흘 동안 배우는 주기도문 학교	임영수
128	남자의 성(性), 그 감추어진 이야기	아취볼드 디 하트/유선명	174	성령의 능력으로 사역하라	필 브레드포드 롱·더글러스 맥머리
129	새신자반	이재철	175	시편으로 드리는 매일 기도	유진 피터슨/이철민
130	아바 ①	정문영 전작장편소설	176	스크루테이프의 편지	C. S. 루이스/김선형
131	아바 ② (전2권)	정문영 전작장편소설	177	청년아, 울더라도 뿌려야 한다	이재철
132	즐거운 아프리카 양철교회	파벨칙/추태화	178	책읽기를 통한 치유	이영애
133	공중의 학은 알고 있다 ①	김성일 전작장편소설	179	아름다운 빈손 한경직	김수진
134	공중의 학은 알고 있다 ② (전2권)	김성일 전작장편소설	180	거북한 십대, 거룩한 십대	유진 피터슨/양혜원
135	이 또한 나의 생긴 대로	김유신	181	성경, 흐름을 잡아라	존 팀머/박혜영·이석열
136	들의 꽃 공중의 새	이기반	182	복음서로 드리는 매일기도	유진 피터슨/이종태
137	아이에게 배우는 아빠 (개정판)	이재철	183	정말 쉽고 재미있는 평신도 신학 1	송인규
138	공짜는 없다	정구영	184	정말 쉽고 재미있는 평신도 신학 2	송인규

(다음 면에 계속)

NO.	제 목	저 자	NO.	제 목	저 자
185	순전한 기독교	C. S. 루이스/장경철 · 이종태	231		
186	2주 동안 배우는 사도신경 학교	임영수	232		
187	이기적인 돼지, 라브리에 가다	수잔 맥콜리/김종철 · 박진숙	233		
188	영적으로 뒤집어 읽는 베드타임 스토리	크리스 페브리/박경옥	234		
189	고통의 문제	C. S. 루이스/이종태	235		
190	성령을 아는 지식	J. I. 패커/홍종락	236		
191	참으로 신실하게	이재철	237		
192	치유하는 교회	더그 뮤렌/심영우	238		
193	한밤의 노크 소리	마틴 루터 킹/심영우	239		
194	날마다 큐티하는 여자	김양재	240		
195	세기를 뒤흔든 전도자 조지 휘트필드	J. C. 라일/홍종락	241		
196			242		
197			243		
198			244		
199			245		
200			246		
201			247		
202			248		
203			249		
204			250		
205			251		
206			252		
207			253		
208			254		
209			255		
210			256		
211			257		
212			258		
213			259		
214			260		
215			261		
216			262		
217			263		
218			264		
219			265		
220			266		
221			267		
222			268		
223			269		
224			270		
225			271		
226			272		
227			273		
228			274		
229			275		
230			276		

청년아, 울더라도 뿌려야 한다

지은이 이재철

2000. 3. 25. 초판   1쇄 발행
2001. 3. 10. 초판   12쇄 발행
2001. 5. 21. 개정판   1쇄 발행
2008. 1. 15. 개정판 27쇄 발행

펴낸이 이재철
만든이 정애주
편집 이현주 한미영 한수경 김혜수 최강미 김기민 신지은
미술 권진숙 서재은 조은애 문정인
제작 홍순흥 윤태웅
미디어 백경호 한지환
영업 오민택 국효숙 이재원 김경아 이진영
관리 이남진 박승기 백창석 안기현
총무 정희자 김은오 마명진

펴낸곳 주식회사 홍성사
1977. 8. 1. 등록 / 제 1-499호
121-883 서울시 마포구 합정동 196-1
TEL. 333-5161 FAX. 333-5165
http://www.hsbooks.com
E-mail:hsbooks@hsbooks.com

ⓒ 이재철, 2000

ISBN 978-89-365-0603-2
값 7,000원 ※잘못된 책은 바꿔 드립니다.
Printed in Korea

홍성사 HONG SUNG SA, LTD.